CHAPTER REVIEW

A. Paco and Rafaela meet outside of class at the Colegio San Miguel in Mexico City. Complete their conversation using words and expressions from the list below. Each word is used only once.

a	compactos	dónde	metro	Te	visitar
adiós	compran	gustaría	montar	vamos	Voy
antiguas	conmigo	hacer	Plaza	vas	
barato	de	cerca			

1. *Paco y Rafaela*

Paco: Buenos días, Rafaela. ¿Adónde _____?

Rafaela: _____ al Museo _____ Antropología.

¿_____ gustaría ir _____?

Paco: Sí. ¿Cuánto cuesta el boleto?

Rafaela: Es _____, cuesta dos dólares. Me gusta _____ el

museo porque me gustan las civilizaciones _____

2. *A la salida del museo.*

Paco: ¿Y qué vas _____ hacer ahora?

Rafaela: Voy a _____ en bicicleta. ¿Te _____ ir conmigo?

Paco: Sí. Me gustaría mucho, pero mis hermanos y yo _____ al

centro a comprar discos _____ y libros.

Rafaela: ¿Dónde _____ los discos compactos?

Paco: En los "tianguis". Allí todo es barato. Rafaela, ¿_____ está el

_____ para ir al centro?

Rafaela: Está _____ de la _____ Garibaldi.

Paco: Gracias, Rafaela. ¿Qué vas a _____ mañana?

Rafaela: Voy a ir al cine. ¡Hasta luego!

Paco: _____.

B. Read each answer. Then write the question it answers.

1. _¿Cuánto cuesta un boleto de entrada?_____

Un boleto de entrada cuesta diez pesos.

2. _____

Voy a ir con José.

3. _____

Vamos en tren.

4. _____

Compramos artesanías y discos compactos en "los tianguis".

5. _____

Juanito va a bailar con Marianela.

C. Complete the following sentences.

1. Tú bailas muy bien y yo _____canto_____ muy bien.

2. Manuela compra discos compactos y yo _____ libros.

3. Yo escucho música y mis amigos _____ la televisión.

4. Mis amigos y yo visitamos el museo y _____ fotos.

5. Mi hermano y yo patinamos en el parque, pero tú _____ en la calle.

6. Tú bailas los fines de semana y yo _____ en bicicleta.

7. Ella va a la tienda por la mañana y yo _____ por la tarde.

8. Pedro va al mercado el sábado. ¿Cuándo _____ tú?

UNIDAD 1, CAPÍTULO 2

CONVERSEMOS

Write a dialog about what you and your partner are going to eat for lunch. Then, practice the dialog with your partner.

¿Dónde vas a
comer hoy?
_____

A.
Ask your partner where he/she is going to eat today.
_____

B.
Respond. Ask if he/she would like to eat with you.
_____

A.
Respond. Ask what he/she likes to eat.
_____

B.
Respond. Ask what he/she will eat today.
_____

A.
Respond. Ask the same question.
_____

B.
Respond. Ask what he/she is going to drink.
_____

A.
Respond. Ask if he/she would like to share a dessert with you.
_____

B.
Respond.
_____

¡A LEER!

A. Read the captions on page 64 of your textbook. Then, answer the following questions.

1. ¿Qué venden en la cafetería? _____

2. ¿Cómo son las hamburguesas y las papas fritas? _____

3. ¿Qué compran los mexicanos en las taquerías? _____

_____

4. ¿Cómo es la comida en las taquerías? _____

5. ¿Qué restaurantes hay en México?_____

_____

6. ¿Qué venden en el mercado? _____

B. Circle the answer that best completes the sentence.

1. Los tacos están muy...

    a. dulces   **b.** picantes   **c.** chinos

2. Compro enchiladas en...

    a. las cafeterías   **b.** los mercados   **c.** las taquerías

3. Por favor, una ensalada de...

    a. hamburguesas   **b.** bistec   **c.** tomate

4. No tengo hambre, pero tengo mucha sed. Me gustaría...

    a. un bistec   **b.** un refresco   **c.** tacos y enchiladas

Tu diario

Write down what you would like to eat and drink today.

_____

_____

TE TOCA A TI

1. Identify the things in this drawing. Label as many as you can.
2. Order a meal. Write a dialog between you and a waiter.

_____

_____

_____

_____

_____

_____

_____

_____

PALABRAS Y MÁS PALABRAS

A. Find ten words in the puzzle that name foods. Also, find the name of a place to eat. The words are written in all directions. ¡Buena suerte!

```
P O N M R F E T S Ó M P
S C E R E A L M A E E F
B E M A N Ú T A P T L R
P T B E R N D V O K Ó M
A L H Á C D E H S N N O
N M R S K R J O V Q N K
A T V T D Z V R R A E H
W O X U Y E H A T R D F
S M R E U A T Á M O N B
V A H H M A L T C S É D
S T O Y Á P Í R S E N G
A E Q T K O C N U U L O
T N Ú C V S E Y P Q Z N
U E T N A R U A T S E R
```

¿Qué te gusta comer en...
el desayuno?

_____

_____

el almuerzo?

_____

_____

la cena?

_____

_____

_____

B. Help these people decide what to eat.

Luis: ¿Te gustaría comer _____ con leche?

Rosario: No. Quiero un sándwich de _____ con lechuga y

_____.

Luis: Hay atún, tomate y lechuga, pero no hay _____. ¿Te

gustaría tomar una _____?

Rosario: Sí, quiero una sopa de _____.

Martín: Quiero un desayuno. Voy a comer _____ con

_____.

Carmen: Quiero una ensalada de fruta con _____ y _____.

JUNTOS UNO

THE VERB <u>GUSTAR</u>

gustar (to like)

me gusta	me gustan
te gusta	te gustan
le gusta	le gustan

Para pensar y anotar

- When do you use the word *gusta?*

  _____

- When do you use the word *gustan?*

  _____

A. ¿Te gusta(n)? Write a question for each item.

1. las verduras (a ti) *¿Te gustan las verduras? / ¿A ti te gustan las verduras?*

2. el batido de chocolate (a él) _____

   _____

3. las frutas (a ella) _____

4. el queso (a usted) _____

5. los frijoles (a Rosario) _____

   _____

B. ¿Qué te gusta? Make three statements about foods you like and don't like.

Comidas que me gustan

1. _____

2. _____

3. _____

Comidas que no me gustan

1. _____

2. _____

3. _____

Ahora juntos

With a classmate, write a short dialog about two friends who are discussing the menu at a restaurant.

_____

_____

_____

¿QUÉ LE GUSTA?

What do these people like or dislike? Use the illustrations as a clue.

1. (a Eduardo) _A Eduardo le_

gustan las papas fritas.

2. (a mí) _____

_____

3. (a usted)_____

_____

4. (a ti) _____

_____

5. (a Marta) _____

_____

6. (a él) _____

_____

VERBS THAT END IN -ER AND -IR

comer (to eat)		compartir (to share)
yo	como	comparto
tú	comes	compartes
usted	come	comparte
él/ella	come	comparte
nosotros(as)	comemos	compartimos
vosotros(as)	coméis	compartís
ustedes	comen	comparten
ellos/ellas	comen	comparten

Para pensar y anotar

* How are the endings of **comer** and **compartir** the same?

_____

_____

* How are they different?

_____

_____

A. **¿Qué comen?** What do you and your family eat and when do you eat it?

1. (el perro) *El perro come bistec en el desayuno.*_____

2. (yo) _____

3. (tú) _____

4. (mi hermano(a)) _____

5. (mis padres) _____

6. (tú y yo) _____

B. Complete the sentences using a form of the verbs: *escribir*, *comer*, *compartir* or *leer*.

1. Yo _____ libros de ficción.

2. Nosotros _____ cereal por la mañana y _____

la comida con toda la familia.

3. Ella _____ cartas el domingo.

¿QUÉ HACEN?

What are these people doing? Use the illustrations as a clue.

1. (las hermanas) _Las hermanas compran frutas._____

2. (señor García) _____

3. (Luis, Ana y Toño) _____

4. (Jorge y Patricia) _____

5. (Juana) _____

B. Draw someone into the picture. Tell what this person is doing.

_____

_____

CHAPTER REVIEW

A. Create a menu by placing the following foods and beverages in the proper category.

el bistec con frijoles
el café
el cereal
las enchiladas de carne
la ensalada
el flan
el helado de vainilla

los huevos con jamón
el jamón con papas fritas
el jugo de manzana
la leche
el pan
la pasta con queso y
  tomate

el pastel
el pescado con arroz
el refresco
la sopa de pollo
la sopa de verduras

El desayuno

los huevos con jamón
_____

_____

_____

_____

_____

Un almuerzo ligero *(light)*

_____

_____

_____

_____

_____

Un almuerzo fuerte *(heavy)*

_____

_____

_____

_____

_____

Los postres

_____

_____

_____

_____

_____

Las bebidas

_____

_____

_____

_____

_____

_____

B. Elisa and Héctor decide to try a new Mexican restaurant, *El Pollo Picante*, for dinner. Use the words and expressions from the list below to complete their conversation. (Some words may be used more than once.)

pedir	provecho	sed	tengo
deliciosa	quieres	taza	verduras
enchiladas	quiero		
ensalada			
gusta			

1. Héctor y Elisa van a comer.

Héctor: ¡_____*Tengo*_____ mucha hambre! ¿Qué _____comer?

Elisa: Me _____ la comida picante. Quiero _____

de pollo con queso y frijoles. Y tú, ¿qué vas a _____?

Héctor: Quiero la sopa de _____ con una _____.

2. *La comida*

Elisa: ¡Buen _____! ¿Te _____ la sopa?

Héctor: ¡Ay sí, está _____!

Elisa: _____ una bebida.

Héctor: Yo también tengo _____. Quiero una

_____ de té.

C. Answer the following questions in complete sentences.

1. ¿Qué comidas te gustan? Describe la comida de la escuela.

_____

_____

_____

2. ¿Qué comidas no te gustan? Describe la comida de tu casa.

_____

_____

_____

UNIDAD 1, ADELANTE

GUÍA PARA ESTUDIAR: UN PASEO POR CHAPULTEPEC

Read "Un paseo por Chapultepec" on page 80–81 of your textbook. Then go back over each paragraph to answer the questions.

Paragraph 1

¿Qué es Chapultepec Mágico? _____

_____

¿Qué diversión hay en el parque? _____

Paragraph 2

¿Dónde es ideal para hacer picnics? _____

¿Qué comidas venden en Chapultepec? _____

Paragraph 3

¿Qué es muy divertido hacer en el parque? _____

¿Por qué? _____

Paragraph 4

¿Dónde está El Castillo? _____

¿Qué es hoy El Castillo? _____

Paragraph 5

¿Dónde hay conciertos y obras de teatro? _____

_____

Paragraph 6

¿Qué es el zoológico? _____

¿Cuántos animales hay en el zoológico? _____

Paragraph 7

¿Qué hay en El Papalote? _____

¿Qué más hay en Chapultepec? _____

Tus notas

Las palabras: Write three new words or expressions from the reading that you would like to learn.

_____

_____

Las oraciones: Were there any sentences that were difficult for you? Write two of them down on a separate piece of paper. Share them with your partner.

LUCÍA Y AMANDA VAN A PATINAR

Invent a dialog between Amanda and Lucía.

A Lucía le gusta patinar en el parque con Amanda. Ellas van al parque de Chapultepec. El domingo, Lucía y Amanda van a patinar con otros chicos y chicas en el parque. A las doce y media, comen en el parque. Comen ensalada de frutas, papas fritas y guacamole y toman refrescos. Después, van a ir a una librería porque Amanda va a comprar unos libros. También van a ir a un "tianguis", porque Lucía va a comprar un disco compacto para su abuela.

Te toca a ti

1. ¿Te gusta patinar? _____
_____

2. ¿Qué te gusta hacer en el parque? ¿Cuándo? _____
_____

3. ¿Dónde te gusta comer? _____
_____

4. ¿Qué comes? _____
_____

5. ¿Con quién te gusta ir? _____
_____

6. ¿Qué te gusta comprar? _____
_____

¡A ESCRIBIR!

Look at the map below. Imagine you are taking a visitor to interesting places in the city. Write a paragraph or dialog describing the city to the visitor. These are some of the words and expressions you may want to use:

barato	en metro	padrísimo
conmigo	lejos	el parque
cerca	a pie	te gustaría
delicioso	me gusta	las tiendas
en coche	el centro	antiguo

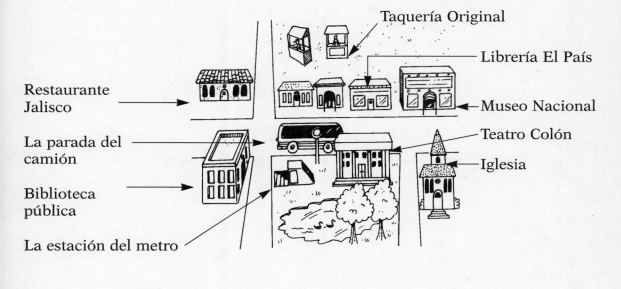

Taquería Original

Librería El País

Restaurante Jalisco

Museo Nacional

La parada del camión

Teatro Colón

Iglesia

Biblioteca pública

La estación del metro

_____

_____

_____

_____

_____

_____

_____

_____

_____

_____

GUÍA PARA ESTUDIAR: OTRAS FRONTERAS

¿Qué tipo de ciencia te gusta estudiar? **CIENCIAS** _____ _____ _____ **MARIPOSA** _____ **MONARCA** **MARAVILLOSA** _____	¿Qué lugares antiguos de México te gustaría visitar? **ARQUEOLOGÍA** _____ _____ _____ **EL CALENDARIO** _____ **AZTECA**
¿Te gusta el cuadro *Tienda de legumbres,* de Elena Climent? ¿Por qué? **ARTE** _____ _____ _____ _____ **TIENDA DE** _____ **LEGUMBRES**	¿De qué color es la bandera de Estados Unidos? **HISTORIA** _____ _____ _____ _____ **EL ÁGUILA Y LA** _____ **SERPIENTE**

Tus notas

Las palabras: Write down three words or expressions from the reading that you would like to learn.

_____

_____

_____

_____

Las oraciones: Were there any sentences that were difficult for you? Write two of them in the space below.

_____

_____

_____

_____

Share your notes with your partner.

UNIDAD 2, CAPÍTULO 3
CONVERSEMOS

Write a dialog about a party you and your friend are going to attend. Then, practice the dialog with your partner.

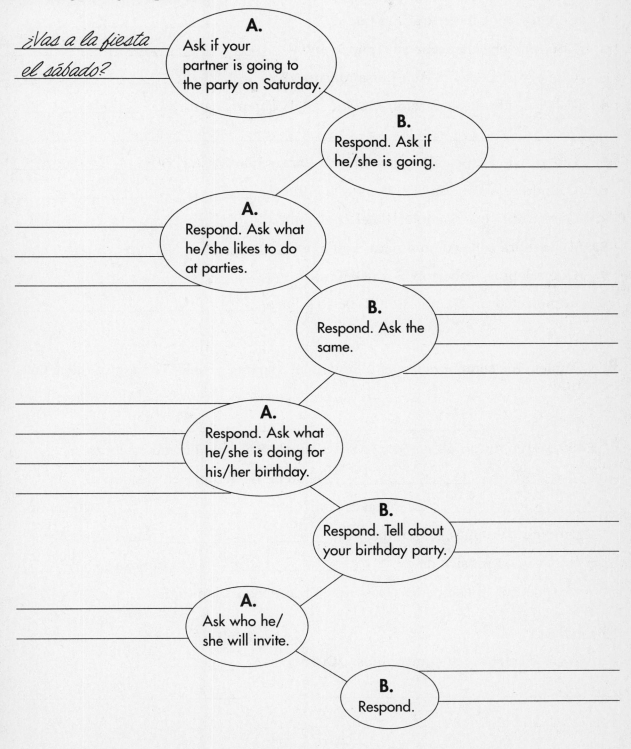

¿Vas a la fiesta el sábado?

A. Ask if your partner is going to the party on Saturday.

B. Respond. Ask if he/she is going.

A. Respond. Ask what he/she likes to do at parties.

B. Respond. Ask the same.

A. Respond. Ask what he/she is doing for his/her birthday.

B. Respond. Tell about your birthday party.

A. Ask who he/she will invite.

B. Respond.

¡A LEER!

A. Read the article on page 94 of your textbook. Then answer the following questions.

1. ¿Cuántos años tiene Aracelia Lugo? _____

2. ¿Dónde celebra Aracelia sus quince años? _____

3. ¿Qué ocasión celebra Ana Luisa Martínez? _____

4. ¿Cómo celebra esta ocasión Ana Luisa? ¿A quién va a invitar? _____

_____

5. ¿Qué ocasión especial celebran Lucía Lara y Juan Pastor? _____

6. ¿Cuándo celebran esa ocasión Lucía y Juan? _____

7. ¿Qué celebra Santiago Pereda el 25 de julio? _____

8. ¿A qué hora es la comida para Santiago? _____

9. ¿Qué celebran Roberto y Sara Gallardo? _____

10. ¿Cómo celebran esta ocasión Roberto y Sara? _____

B. Complete the sentences in the following newspaper article. Then, give the article a title.

Title: _____

El Sr. Marco Antonio Lizano y la Sra. Arabela Rojas de Lizano celebran su

_____ el 28 de noviembre en el salón de

_____ La Rotonda. ¡Cincuenta _____! Hay una

ceremonia y después, su familia y los _____ van a celebrar

la ocasión con música de _____, con la famosa _____

Cinco de mayo. ¡Felicidades a los Sres. Lizano y a su familia!

Tu diario

¿Cómo vas a celebrar tu cumpleaños? ¿Cuándo es?

_____

_____

TE TOCA A TI

1. Label as many of the things in the picture as you can.

2. Choose one pair of people. Create your own dialog.

_____

_____

_____

_____

_____

3. Describe what three different guests are doing.

_____

_____

_____

_____

PALABRAS Y MÁS PALABRAS

A. Use the clues to complete the crossword puzzle about special occasions.

Across:

1. La hermana de tu mamá.
3. Escribes la _____ para una fiesta.
5. Una niña de _____ años es una quinceañera.
9. El hermano de tu papá.
10. Un hombre y una mujer celebran una _____.
11. ¿Qué vas a hacer para tu cumpleaños? _____ especial.
12. ¿Cuántos _____ tienes?
13. Para celebrar cumpleaños, bodas y otras ocasiones hacemos unas _____.

Down:

2. Ocasión especial para celebrar los años de boda.
4. Personas que van a una fiesta.
6. Lugar para vivir.
7. En la fiesta de mi cumpleaños, rompemos la _____ .
8. Decoramos la fiesta con _____ amarillos y azules.

B. Write 3 sentences using as many of the words from the puzzle as you can.

_____

_____

_____

_____

_____

ADJECTIVES

masculine	feminine
Singular:	**Singular:**
Juan es alto.	María es alta.
Plural:	**Plural:**
Los globos son rojos.	Las velas son rojas.

Para pensar y anotar

• How do you form the plural of adjectives?

_____

_____

_____

A. La familia de Marilú. Circle the word that best completes each sentence.

1. El hermano de Marilú tiene dos años. Es muy...
    a. picante   **b.** inteligente   **c.** rojo

2. Su hermana es divertida y...
    a. corto   **b.** simpática   **c.** antiguas

3. Su madre es joven, baja y...
    a. rubia   **b.** vieja   **c.** alta

4. Juan tiene muchos amigos. Es muy...
    a. popular   **b.** viejos   **c.** rojo

5. ¡Los abuelos son padrísimos! ¡Son inteligentes, interesantes y...
    a. jóvenes   **b.** pequeños   **c.** geniales

B. Complete the following sentences with an appropriate adjective.

1. La quinceañera es _____.

2. Las bodas son _____.

3. Las celebraciones de familia son _____.

4. Tu prima es _____.

5. El novio de tu amiga es _____.

Ahora juntos

On a separate piece of paper, write a description of your favorite relative. Ask your partner to guess who that relative is.

NOMBRE_____FECHA_____

¿CÓMO SON?

Use adjectives to describe these people and things.

1. (Teresa) *Teresa es rubia.*_____
_____

2. (el pastel) _____
_____
_____

3. (Juan y Pedro) _____
_____
_____

4. (Roberto) _____
_____
_____

5. (el chocolate) _____
_____
_____

6. (las chicas) _____
_____
_____

THE VERBS <u>HACER</u> AND <u>CONOCER</u>

hacer (to do, to make)
conocer (to know)

yo	**hago**	**conozco**
tú	haces	conoces
usted	hace	conoce
él/ella	hace	conoce
nosotros(as)	hacemos	conocemos
vosotros(as)	hacéis	conocéis
ustedes	hacen	conocen
ellos/ellas	hacen	conocen

Para pensar y anotar

• Which form of **hacer** doesn't have an ending like regular **-er** verbs?

_____

• Which form of **conocer** doesn't have an ending like regular **-er** verbs?

_____

_____

_____

A. ¿Qué hacen? A group of friends is having a party. Use the correct form of **hacer** and one of the words from the box to complete these sentences.

1. (Yo) _*Yo hago el menú.*_____

2. (Cecilia y Lorena) _____

3. (Eugenio) _____

4. (Alejandro y yo) _____

5. (Tania)_ _____

6. (Tú y tu amiga) _____

7. (Tú) _____

| las invitaciones |
| el menú |
| la barbacoa |
| la ensalada |
| el postre |
| el café |
| los carteles |

B. ¿A quién conocen? Complete the conversations with a form of **conocer**. Add an **a** when needed.

1. **Justino:** ¿_____ tu hermano a Pilar?

   Eva: Sí, _____ Pilar.

2. **Julián:** ¿(tú) _____ Mercedes Sosa?

   Teresa: No, no _____ Mercedes Sosa, pero conozco a Tito Puente.

3. **Felipe:** ¿_____ ustedes a los novios?

   Roberto y Adela: No, no _____ los novios.

LA FIESTA

Describe what each person is doing at the party.

1. Daniel, Roberto y David

Hacen la barbacoa.

2. Mariano y Eduardo

_____

3. Verónica y Raquel

_____

4. Andrés, Eva y Manuela

_____

5. Ángel

_____

CHAPTER REVIEW

A. Choose a word from the box to fill in the blanks. You can use each word only once. Don't forget to conjugate the verbs!

celebrar	encantada	guapo	inteligente
claro	feliz	invitar	siento
conocer	fiesta	conmigo	vecino

1. *En la calle*

Luis: Juan _____ su cumpleaños.

María: No _____ a Juan. ¿Quién es?

Luis: Es el _____ de tu primo Pedro.

María: ¡Ah sí! Es un chico _____ y muy _____ .

Luis: Sí. Va a _____ a muchos amigos a su

_____ . ¿Vas a ir?

María: ¡_____ que sí! Voy a comprar un disco compacto.

¿Vienes _____?

Luis: No, lo _____ , no puedo.

2. *En la fiesta*

Luis: ¿Conoces _____ Juan?

María: No. _____ · ¡ _____ cumpleaños!

Juan: ¡Gracias!

B. There are many steps involved in planning and giving a party. Number the following tasks in the order in which they need to be done. Then assign the different tasks to your friends.

_____ seleccionar los discos compactos   _____ decorar la casa
_____ hacer la lista de invitados   _____ preparar mucha comida
_____ comprar la comida y los globos   _____ escribir las invitaciones

1. (Yo) _Yo hago la lista de invitados._

2. (Daniel) _____

3. (Tú) _____

4. (Toña) _____

5. (Vivian y yo) _____

6. (Javier y Víctor) _____

C. Answer the following questions in complete sentences.

1. ¿Conoces a alguna persona muy simpática? ¿Quién es?

_____

2. ¿A quién vas a invitar a tu cumpleaños?

_____

3. ¿Cómo es tu pariente favorito? ¿Quién es?

_____

4. ¿Conoces a alguna persona famosa? ¿A quién?

_____

5. En general, ¿qué haces en las fiestas? ¿Qué hacen tus amigos?

_____

_____

UNIDAD 2, CAPÍTULO 4

CONVERSEMOS

Write a dialog about where you live. Then practice it with your partner.

¿Vives en una
ciudad?

A.
Ask if he/she
lives in a city.

B.
Respond. Ask
where he/she lives.

A.
Respond. Ask if
he/she lives in an
apartment building.

B.
Respond. Ask
if he/she
lives in a big house.

A.
Respond. Ask
if his/her home is
near a museum.

B.
Respond. Say what
places are near, next to,
or in front or back of
your home.

¡A LEER!

A. Read the brochure on page 112 in your textbook. Then, answer the following questions.

1. ¿Qué ciudad tiene muchos hoteles? _____

2. ¿En qué plaza hay muchas celebraciones? _____

_____

3. ¿Dónde hay muchas tiendas y cafés al aire libre? _____

_____

4. Necesitas información en San Antonio, ¿adónde vas? _____

_____

5. ¿Sabes el nombre del lugar más famoso de la historia de Texas? _____

_____

6. ¿En qué plaza están el centro comercial Rivercenter y El Álamo? _____

_____

7. ¿Cómo se llama el centro de convenciones en San Antonio? _____

_____

B. Choose the word in parentheses that best completes each sentence. Then write the correct sentence on the line. Use the map on page 112 of your textbook to help you. *Remember that de + el = del.*

1. La Biblioteca Central está (detrás de/lejos de) el Centro de Información.

_____

2. El restaurante Casa Río está (al lado de/a la derecha de) el río.

_____

3. El Teatro Río Arneson está (delante de/lejos de) el Auditorio de Convenciones

Villita. _____

_____

TE TOCA A TI

la cama

1. Label as many items in the picture as you can. Draw a line from the word to its picture in the drawing.

2. Choose three objects from the picture. Describe where each object is in relation to other objects in the room.

_____

_____

_____

_____

_____

3. Write three sentences describing what you have in your room.

_____

_____

_____

_____

PALABRAS Y MÁS PALABRAS

A. La casa. Fill in the crossword puzzle with words for things you can find inside and outside the house. Use the clues that follow. Look at the illustration on pages 114-115 of your textbook for help with the clues.

Across:
  1. Aquí está la leche fría.
  7. Un lugar para vivir.
  8. Aquí haces la cena.
  9. El rancho de mi abuela está en el _____. Está lejos de la ciudad.
 11. Vives en un _____ de apartamentos.
 14. Hay una _____ en la cocina.
 15. Tu ropa está aquí.
 16. Lava los platos.
 18. Hay una _____ en la sala.

Down:
  2. Tú lavas los platos aquí.
  3. La mesa de noche está en el _____.
  4. Puedes escuchar música. Está encima del refrigerador.
  5. Tu coche está aquí por la noche.
  6. El sofá está aquí.
 10. No vivo en el centro. Vivo en las _____.
 12. El _____ de baño.
 13. Está en el dormitorio.
 17. Es verde y está fuera de la casa.

B. Using as many words from the puzzle as possible, write 2 sentences about your house.

_____

_____

THE VERB ESTAR

estar (to be)

yo	**estoy**	nosotros(as)	estamos
tú	estás	vosotros(as)	estáis
usted	está	ustedes	están
él/ella	está	ellos/ellas	están

Para pensar y anotar

• Which verb form is irregular?

_____

• Which verb forms have an accent?

_____

A. Anita. Anita comes home from school and finds everyone gone except her sister. She wants to know where everyone is. Use the correct form of *estar* to complete the conversation below.

Anita: ¡Ligia! ¿Dónde _____*estás*_____ ?

Ligia: _____ aquí, en la cocina.

Anita: ¿Dónde _____ mamá?

Ligia: _____ en el correo.

Anita: ¿Alberto y Elena _____ con ella?

Ligia: No, ellos _____ en la tienda de videos. Y los abuelos

_____ en la farmacia.

(rrring, rrring)

Mamá: ¡Hola Anita! ¿Ligia _____ en casa?

Anita: Sí mamá. Ligia y yo _____ en la cocina. Preparamos la comida.

Mamá: ¡Qué bien! Vamos a _____ en casa en diez minutos.

B. Read each answer. Then, write the question it answers.

Pregunta	**Respuesta**
1. _____	Sí, Pedro está en el campo.
2. _____	Sí, Juan y Pedro están en el correo.
3. _____	Sí, nosotras estamos en la farmacia.
4. _____	Sí, yo estoy en la cocina.

Ahora juntos

On a separate piece of paper, write a dialog that tells where you and your friends are and what you are doing there.

¿DÓNDE ESTÁN?

Where are these people? Use the illustrations as a clue. Use as many of the following words as possible: **detrás de, delante de, cerca de, dentro de, arriba, al lado de, entre.**

1. (la abuela) *La abuela está en el jardín detrás de la casa.*

2. (los padres) _____

_____

3. (nosotros) _____

_____

4. (Mirta) _____

_____

5. (yo)_____

_____

6. (las hermanas)_____

_____

POSSESSIVE ADJECTIVES

singular		plural	
my	mi		mis
your	tu	}casa/cuarto	tus }casas/cuartos
your,	su		sus
his, her			

singular		plural
masculine	nuestro vecino	nuestros vecinos
feminine	nuestra bicicleta	nuestras bicicletas

A. Invito a... You are planning a party with a group of friends. Tell who will invite whom. Use words like **mi, tu,** and **su,** singular and plural.

1. Pedro / hermanas *Pedro invita a sus hermanas.*

2. Paquita / prima Cecilia _____

3. Isabel y Tomás / abuelos _____

4. yo / mamá _____

5. tú / abuela _____

6. nosotros / padres _____

7. usted / hermanos _____

8. ustedes / tías _____

B. Los amigos hablan. Complete the dialogs with a possessive adjective so that the sentences make sense to you. Then, read your answers with a friend. Did your friend have the same answers as you?

1. **Raúl:** ¡Qué inteligente es _____ amiga Sue!

   Alberto: Sí, y es también divertida.

2. **Perla:** _____ perro Sansón es inteligente.

   Carmen: Gracias, pero Sansón no es _____ perro. Es de Carlos.

3. **Juan:** Patricia, ¿dónde están _____ padres?

   Patricia: _____ padres están en España.

4. **Luis:** Marisa, ¿quién es el hermano de José?

   Marisa: _____ hermano es Alejandro.

5. **Berta:** ¿Dónde están los libros de _____ prima?

   Javier: _____ libros están en la mesa.

¿DE QUIÉN ES?

Rephrase each sentence using *su, sus or nuestras*.

1. Los libros son de Berta.

Son sus libros.

2. El batido es de Julia y Esteban.

_____

3. La computadora es de mi abuela.

_____

4. Los globos son de los primos de Berta.

_____

5. El sillón es de mi padre.

_____

6. Son mis manzanas y de Berta.

_____

CHAPTER REVIEW

A. Look at the plan of a house and yard. Then write sentences using words from the box about places and things in the drawing.

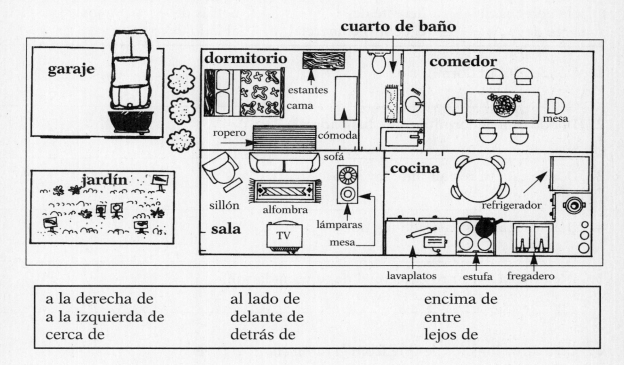

a la derecha de	al lado de	encima de
a la izquierda de	delante de	entre
cerca de	detrás de	lejos de

1. (el cuarto de baño) *El cuarto de baño está a la derecha del dormitorio.*

2. (el sofá) _____

3. (el jardín)_____

4. (los árboles) _____

5. (el garaje) _____

6. (el dormitorio) _____

7. (el fregadero) _____

8. (las lámparas) _____

9. (el lavaplatos)_____

10. (el ropero) _____

B. Write about your house and neighborhood. Use some of the words below.

en las afueras	a la izquierda de	abajo	arriba
a la derecha de	delante de	detrás de	lejos de
cerca de	el centro comercial	al lado de	

1. ¿Dónde está tu dormitorio?

_____

2. ¿Dónde está el dormitorio de tus padres?

_____

3. ¿Dónde está tu restaurante favorito?

_____

4. ¿Dónde están las casas de tus tíos?

_____

5. ¿Dónde está el centro comercial de tu vecindario?

_____

C. Give directions for getting from *la farmacia* to *la librería*.

la izquierda
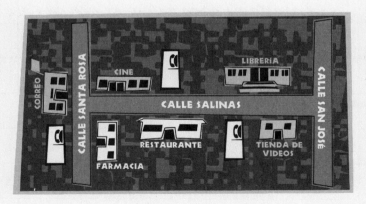
la derecha

_____

_____

_____

_____

UNIDAD 2, ADELANTE
GUÍA PARA ESTUDIAR: RITMOS DE TEXAS

Read "Ritmos de Texas" on pages 128–129 of your textbook. Then go back over each paragraph to answer the questions.

Paragraph 1

¿Qué es muy importante en la cultura tejana? _____

Paragraph 2

¿Qué ritmos tiene la música tex-mex? _____

_____

Paragraph 3

¿Qué instrumentos son tradicionales de México? _____

_____

¿Qué otros instrumentos hay? _____

_____

Paragraph 4

¿Qué ponen las estaciones de radio en Texas? _____

Paragraph 5

¿Qué ceremonia es muy importante? _____

¿Cuántos espectadores van a esta ceremonia? _____

_____

Paragraph 6

¿Qué aprenden los chicos en las escuelas de Texas? _____

_____

¿Cómo son las clases? _____

Tus notas

Las palabras: Write down three words or expressions from the reading that you would like to learn.

Las oraciones: Were there any sentences that were difficult for you? Write one of them down in the space below.

_____   _____

_____   _____

_____   _____

Share your notes with your partner.

LOS MARIACHIS DEL FUTURO

Read LOS MARIACHIS DEL FUTURO. Then, answer the questions according to the reading. Compare your answers with your partner.

Juan González, Pedro Montoya y Alonso Gómez son tres jóvenes de San Antonio. Ellos van a una escuela de mariachis. A Juan le gusta tocar la guitarra; a Pedro le gusta tocar el acordeón; y a Alonso le gusta tocar el guitarrón. A Juan le gusta cantar en español, porque su mamá canta en español en casa. A Pedro le gusta cantar en inglés, pero los mariachis cantan en español. A Alonso le gusta tocar instrumentos de música country y rock como los sintetizadores y la batería. Ellos tocan la música tradicional de México y también música moderna de Texas.

1. ¿De dónde son los tres jóvenes?

_____

2. ¿A quién le gusta tocar el guitarrón?

_____

3. ¿En qué idioma canta Pedro? ¿Y Juan?

_____

4. ¿Qué música tocan los Mariachis del futuro?

_____

Te toca a ti

1. ¿Qué te gusta cantar?

_____

_____

2. ¿Cuál es tu música favorita?

_____

_____

3. ¿Te gustaría tocar un instrumento? ¿Cuál? ¿Por qué?

_____

_____

4. ¿Te gusta la música tex-mex? ¿Por qué?

_____

_____

¡A ESCRIBIR!

Imagine that you and three of your friends are musicians in a band. You would like to get a recording contract. Write a description of your band to present to the record label executives. Include information about the people in the band, the instruments you play, the type of music you play and like, and the types of songs you sing. Also, talk about your local success. Below are some words and expressions you may want to use. Don't forget to give a name to your band!

la batería	espectadores	popular	tocar
las canciones	favorito	los ritmos	tradicional
cantamos	la guitarra	el sintetizador	
en español	moderno	en inglés	

_____
_____
_____
_____
_____
_____
_____
_____
_____
_____
_____
_____
_____
_____
_____
_____
_____

GUÍA PARA ESTUDIAR: OTRAS FRONTERAS

¿Qué revistas te gusta leer?

¿Cuál es tu revista favorita?

¿Hay revistas en español en tu ciudad?

PRENSA _____

_____

_____

_____

INFORMAR EN ESPAÑOL _____

¿Hablas otros idiomas?

¿Te gustaría hablar otros idiomas?

¿Por qué?

IDIOMA _____

_____

_____

_____

VAQUEROS TEJANOS

¿Qué ríos hay en la ciudad o estado donde vives?

¿Conoces otros ríos?

¿Cómo se llaman?

GEOGRAFÍA _____

_____

_____

_____

RÍO GRANDE O RÍO BRAVO _____

¿Qué hace Luis Jiménez?

¿Dónde están las obras de Luis Jiménez?

ARTE _____

_____

_____

_____

ESCULTURA DE COLORES

Tus notas

Las palabras: Write down two words or expressions from the reading that you would like to learn.

_____

_____

_____

Las oraciones: Were there any sentences that were difficult for you? Write two of them down in the space below.

_____

_____

_____

_____

UNIDAD 3, CAPÍTULO 5
CONVERSEMOS

Write a dialog about what you and your partner are going to do this weekend. Then practice the dialog with your partner.

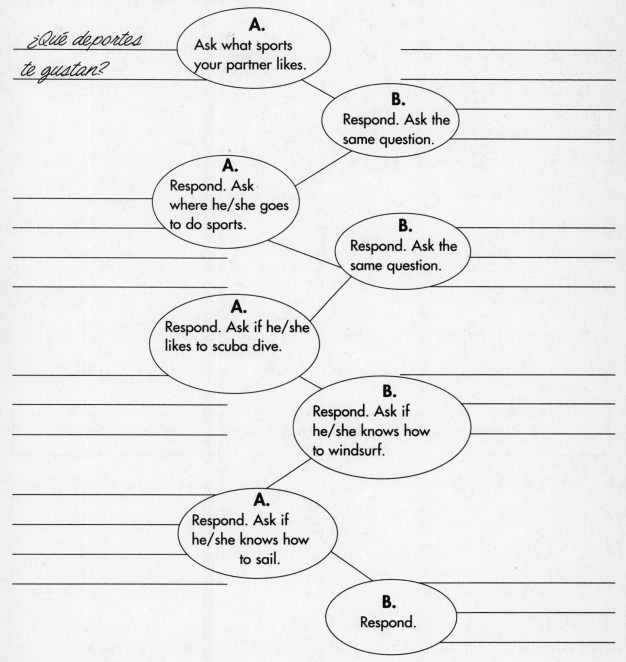

¿Qué deportes te gustan?

A. Ask what sports your partner likes.

B. Respond. Ask the same question.

A. Respond. Ask where he/she goes to do sports.

B. Respond. Ask the same question.

A. Respond. Ask if he/she likes to scuba dive.

B. Respond. Ask if he/she knows how to windsurf.

A. Respond. Ask if he/she knows how to sail.

B. Respond.

¡A LEER!

A. Read page 142 of your textbook. Then, answer the following questions.

1. ¿Cómo es la temperatura de Puerto Rico? _____

2. ¿Cómo son las playas en Puerto Rico? _____

3. ¿Dónde hay una regata de veleros?_____

_____

4. ¿Dónde hay olas perfectas para hacer surf? _____

5. ¿Adónde van muchas personas a hacer tabla a vela? _____

6. ¿Cuál es el lugar ideal para hacer esquí acuático? _____

_____

7. ¿Cómo es el mar en Vieques? _____

8. ¿Qué aprenden allí los chicos y chicas? _____

B. Write sentences about what you think of some water sports. Use the following adjectives:

fácil	divertido	peligroso	emocionante	chévere	favorito

1. *Bucear es fácil y divertido.*_____

2. _____

3. _____

4. _____

Tu diario

Write down what water sports you would like to do and where in Puerto Rico.

_____

TE TOCA A TI

1. Label eight things in the picture.
2. Choose any two persons from the picture. Write what they are saying.

_____

_____

_____

_____

3. What is your favorite beach activity? On a separate piece of paper, write a brief
   dialog inviting a friend to join you in this activity. Practice your dialog with your
   partner.

_____

_____

_____

_____

_____

PALABRAS Y MÁS PALABRAS

A. En la playa. Unscramble the jumbled words below. Each word is the name of a place to swim, something you might use to play, or something you might use near the water. Write your notes on a separate piece of paper.

1. LALAOT ◯ __ ◯ __ __ __

2. ÍQUSE __ __ ◯◯

3. SMORE __ __ __ __

4. PAELTA ◯ __ ◯ __ __ __

5. CIPANSI ◯ __ __ ◯ __ __ __

6. NÓQEULRES __ __ __ __ __ __ ◯ __ __

7. STLEAA __ ◯ __ __ __

8. PTOLEA __ __ __ ◯ ◯ __

9. GOAL __ ◯ __ ◯

10. AANER __ ◯ __ __ __

11. IRFBSI __ __ __ __ __ ◯

12. VOLEER __ __ __ ◯

B. Complete the mystery sentence. Use the circled letters from activity A to discover the mystery sentence. Pay attention, circled letters are in random order.

__ __ E R __ __   __ __ C __   __ S __ N __   __ S __ A __ R __ __ I __ __ L.

THE VERB SABER

saber (to know how)

yo	**sé**	nosotros(as)	sabemos
tú	sabes	vosotros(as)	sabéis
usted	sabe	ustedes	saben
él/ella	sabe	ellos/ellas	saben

Para pensar y anotar

- Which form of *saber* is not like the forms of regular *-er* verbs?
  _____

- How do you say you know how to do something?
  _____

¿Qué saben hacer? Write about what you, your friends, and your family know how to do.

1. (tú y tu hermana) _____ *Tú y tu hermana saben bucear.* _____

_____

2. (yo) _____

_____

3. (tú y tu abuela) _____

_____

4. (tu hermano) _____

_____

5. (tú) _____

_____

6. (tus amigos) _____

_____

7. (mi mamá, mi papá y yo) _____

_____

8. (mi tía favorita) _____

_____

Ahora juntos

With a classmate, on a separate piece of paper, write a dialog between two friends who talk about the sports each one knows or doesn't know how to play. Practice with your partner.

¿QUÉ SABEN HACER?

Look at the pictures. Then write what each person knows how to do. Here are some words you may want to use:

muy bien	bastante bien	más o menos
bien	no sabe	no muy bien

1. (yo) _____

_____

2. (tu amigo) _____

_____

3. (la salvavidas) _____

_____

4. (nosotros) _____

_____

5. (tú) _____

_____

6. (ella) _____

_____

THE VERB <u>QUERER</u>

querer (to want)

yo	quiero	nosotros(as)	queremos
tú	quieres	vosotros(as)	queréis
usted	quiere	ustedes	quieren
él/ella	quiere	ellos/ellas	quieren

Para pensar y anotar

• In which form(s) of *querer* does the *e* not change to an *ie*?

_____

• What do you say to talk about what you want to do?

_____

¿Qué quieren hacer? ¿Quiénes? Write eight sentences using one word or phrase from each column. Use all the words in the first column. Don't forget: *a* + *el* = *al.*

quiero	jugar en/con	el bote a motor
quieres	llevar	la playa
quiere	hacer	el parque
queremos	ir a	el río
quieren	alquilar	el sol
	aprender a	la arena
	bucear en	el lago
	tomar	los lentes de sol
	comprar	el surf
	nadar en	el mar
	navegar en	el esquí acuático

1. _____

2. _____

3. _____

4. _____

5. _____

6. _____

7. _____

8. _____

¿QUÉ QUIEREN HACER?

Each person in the picture wants to do the activity by their name. Write a sentence telling what each person wants to do.

1. (Mariana) _____

2. (tú) _____

3. (Juan) _____

4. (María y Pablo) _____

5. (Miguel) _____

6. (yo) _____

CHAPTER REVIEW

A. Under each activity, write the names of two pieces of equipment you need in order to participate. Some of the items provided may be used more than once and others not at all.

las aletas	el frisbi	el paracaídas	la sombrilla
el bote a motor	la máscara de bucear	la pelota	la tabla de surf
el chaleco salvavidas	la ola	la red	la toalla
los esquís	las paletas	los remos	el velero

bucear   **remar**   **jugar al voleibol**

_____   _____   _____

_____   _____   _____

tomar el sol   **hacer esquí acuático**   **jugar a las paletas**

_____   _____   _____

_____   _____   _____

B. Answer the following questions with complete sentences and use some expressions from the box.

bien	**bastante bien**	**¡Es peligroso!**
¡Es emocionante!	**¡Me encanta!**	

1. ¿Sabe nadar tu hermano?

_Sí, mi hermano sabe nadar bien._____

2. ¿Sabes bucear?

_____

3. ¿Tus amigos y tú saben hacer parasailing?

_____

_____

4. ¿Sabes hacer surf?

_____

C. Luisa and Alicia are talking about their summer plans. Complete their conversation using the words provided. (Words can be used more than once!)

autobús	gusta	protector solar	tengo
centro comercial	hacer	quieres	vamos
comprar	lentes	quiero	vas a
deportes acuáticos	navegar	sé	vela
encanta	practico	sol	voy a
esquí acuático			

Luisa: Alicia, ¿qué vas a _____ en Puerto Rico?

Alicia: ¡Muchas cosas! No _____ bucear, pero voy a aprender.
También _____ hacer _____.

Luisa: Yo no _____ muchos _____, pero
_____ aprender a _____.

Alicia: ¡Me _____ navegar! También me gusta
_____ tabla a _____.

Luisa: ¿_____ tomar el _____ en la playa?

Alicia: Sí. Voy a llevar _____.

Luisa: Y yo voy a _____ _____ de sol.

Alicia: ¿_____ ir al _____ de compras?

Luisa: ¡Buena idea! ¿_____ en _____?

Alicia: Sí, ¡vamos!

D. Answer these questions.

1. ¿Qué deportes acuáticos quieres aprender?

_____

2. ¿Qué quieres hacer bucear o navegar?

_____

3. ¿Qué deportes quieren practicar tú y tus amigos en el mar?

_____

4. ¿Qué quieres hacer en la playa?

_____

UNIDAD 3, CAPÍTULO 6

CONVERSEMOS

Write a dialog about the weather. Then, practice the dialog with your partner.

¿Qué estación _____
del año te _____
gusta más? _____

A.
Ask your partner what season he/she likes most.

B.
Respond. Ask the same question. _____

A.
Respond and tell why it is your favorite season. Ask what he/she likes to do when the weather is nice.

_____
_____
_____
_____

B.
Respond. Ask what he/she likes to do when the weather is bad. _____

A.
Respond. Tell your partner that it's going to rain this afternoon. Advise him/her accordingly.

_____
_____
_____
_____

B.
Say thank you and good-bye. _____

¡A LEER!

A. Read the weather forecast on page 160 of your textbook. Then, answer the following questions.

1. ¿Qué tiempo va a hacer en San Juan mañana por la tarde?

_____

2. ¿Cuál va a ser la temperatura máxima en San Juan? ¿Y la temperatura mínima?

_____

3. ¿Qué tiempo va a hacer en Ponce por la mañana?

_____

4. ¿Va a llover en Ponce? ¿Cuándo?

_____

5. ¿Cuándo hay probabilidades de lluvia en Mayagüez?

_____

6. Por la mañana, ¿va a estar nublado en Mayagüez?

_____

7. ¿Cuál va a ser la temperatura máxima en Mayagüez?

_____

B. Based on the weather forecast on page 160 of your textbook, describe the weather in each area and advise your friend in those areas what to do or wear.

1. San Juan, Norte y Este: _Viene una tormenta. No debes salir sin el impermeable, las botas y el paraguas._

2. Ponce, Sur: _____

_____

3. Mayagüez, Oeste: _____

_____

TE TOCA A TI

el paraguas

1. Label as many items in the illustration as you can. Draw a line from the word to its picture in the drawing.

2. Circle a pair of people in the drawing. Write what they are saying. Practice your dialog with your partner.

_____

_____

_____

_____

_____

3. On a separate piece of paper, write a brief paragraph about a place that you would like to visit at a specific time of the year. Tell what the weather is like there.

PALABRAS Y MÁS PALABRAS

A. El tiempo. Fill in the crossword puzzle with words that describe the weather or items of clothing. Use the clues given.

Across:

1. La ___ de hoy es 76 °F.
4. En el ___ hace calor.
6. Hace mucho frío. Lleva un ___
8. En Michigan, hay nieve en el ___.
9. Lleva un ___ siempre en invierno.
10. La temperatura es 32 °F. Hace ___.
12. Vas a esquiar. Lleva el abrigo, el gorro, los guantes y un ___.
13. Por la tarde va a llover mucho. Viene una ___.

Down:

2. Hay cuatro ___ en el año.
3. Después del invierno viene la ___.
5. En Puerto Rico hace buen ___.
7. Florida está al ___ de Georgia.
11. La primavera, el verano, el ___ y el invierno son las estaciones del año.

B. Write a weather report describing tomorrow's weather in your city. Give someone advice about what to do. Use some of the expressions below.

el tiempo hoy	la temperatura	hay probabilidades de
deben llevar	no debes salir sin	ten cuidado

_____

_____

_____

THE VERB JUGAR

jugar (to play)			
yo	juego	nosotros(as)	jugamos
tú	juegas	vosotros(as)	jugáis
usted	juega	ustedes	juegan
él/ella	juega	ellos/ellas	juegan

Para pensar y anotar

- Which form of **jugar** has an accent in the present tense?

_____

- Which forms of **jugar** do not have a stem change from **u** to **ue**?

_____

A. Jugamos a todo. Orlando is making a list of the sports or games that his family and friends play. Complete his list.

1. Sergio _____*juega*_____ al ajedrez.

2. Marité _____ al béisbol.

3. Papá y mamá _____ al tenis.

4. Nosotros _____ a las paletas.

5. Tú _____ al frisbi.

6. Yo _____ al fútbol americano.

B. What games do these people play and when do they play them? Choose from the words below.

ajedrez	fines de semana	llueve	otoño	tenis
béisbol	invierno	nieve	paletas	verano

1. (mis amigos y yo) _*Mis amigos y yo jugamos al tenis en el verano.*_

2. (mis amigos) _____

3. (yo) _____

4. (tú) _____

5. (ella) _____

Ahora juntos

Take turns with a classmate talking about the kinds of sports you and your friends play. Then report to the class what your classmate and his/her friends play.

¡VAMOS A JUGAR!

Tell what each of these people are doing and whether they like it or not.

1. _Inés y Verónica juegan al_
tenis. Les gusta jugar al tenis.

2. _____

_____

3. _____

_____

4. _____

_____

5. _____

_____

INFORMAL COMMANDS

-ar verbs:		**-er/-ir verbs:**	
compra	buy	lee	read
lleva	take	comparte	share
juega	play	escribe	write

Para pensar y anotar

- What rule can you make on how to form the *tú* commands of **-ar**, **-er**, and **-ir** verbs?

_____

_____

_____

A. Your friend wants to go to the beach. Use each phrase in parentheses to tell your friend what to do before he/she goes or when he/she gets there.

1. (el pronóstico) _____

2. (una toalla) _____

3. (protector solar) _____

4. (la sombrilla con tus amigos) _____

5. (los lentes de bucear) _____

B. Column 1 tells what is happening and to whom it is happening. In column 2, use a form of **tener que** to write what you and your friends have to do. In column 3, write what you and your friends should not do using a form of **deber**.

1 situación	2 tener que	3 deber
1. Llueve. / tú	*Tienes que llevar paraguas.*	*Y no debes salir sin impermeable.*
2. Hace mucho calor. / María		
3. Hace frío. / Alicia y Sonia		
4. Viene una tormenta. / Jacinta y yo		
5. Va a nevar. / yo		
6. Hace mucho sol. / tú y Juan		

EL TIEMPO

Describe the weather in each drawing. Then, try to use as many different ways as you can to tell what each person named in the drawing should and should not do in that weather.

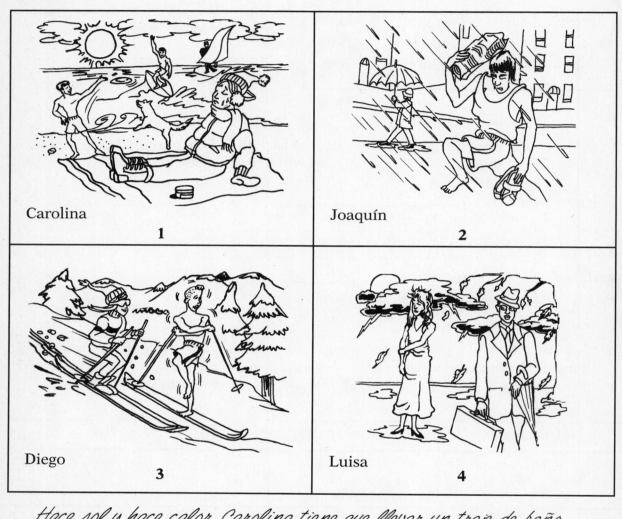

Carolina **1**

Joaquín **2**

Diego **3**

Luisa **4**

1. *Hace sol y hace calor. Carolina tiene que llevar un traje de baño. No debe llevar abrigo.*

2. _____

_____

3. _____

_____

4. _____

_____

CHAPTER REVIEW

A. Look at the weather map below. Write sentences telling where each city is located and what kind of weather it is having.

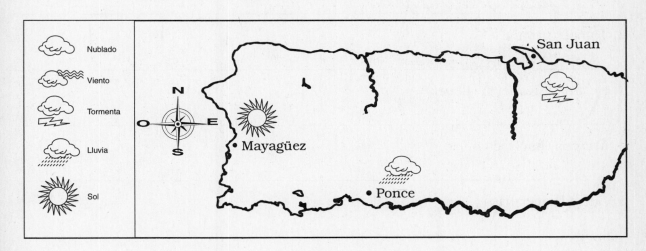

1. San Juan _____

2. Mayagüez _____

3. Ponce _____

B. Write about your favorite weather and what you do in this weather. Then tell someone what they should and should not do in this weather. Also, write about your least favorite weather and give a reason for why you don't like it.

_____

_____

_____

_____

_____

_____

_____

_____

_____

_____

C. Use the information in parentheses to tell what the weather is like. Then give advice about what these people should or should not do or wear in the weather.

1. Elisa (hacer fresco)

*Hace fresco. ¡Lleva el gorro!*_____

2. Tomás (nevar)

_____

3. Susana y Roberto (llover)

_____

4. Marcos (hacer calor)

_____

5. Luisa (hacer frío)

_____

6. Rodrigo (hacer mal tiempo)

_____

7. Magda y Gregorio (estar nublado)

_____

D. Even if the weather is nice, we sometimes can't do what we want to. Tell what the following people would like to do and what they have to do. There are some suggestions in the box below.

salir con amigos	**esquiar**	**comer postres**
comer verduras	**jugar al fútbol**	**hacer parasailing**
ir a clase	**ir al parque**	
escribir cartas	**ir de compras**	

1. (tus padres) *Les gustaría esquiar, pero tienen que salir con amigos.*

2. (tú y tus amigos) _____

3. (tú) _____

4. (tu profesor(a)) _____

5. (tú y tu familia) _____

UNIDAD 3, ADELANTE
GUÍA PARA ESTUDIAR: EL YUNQUE

Read "El Yunque" on page 176-177 of your textbook. Then go back over each paragraph to answer the questions.

Paragraph 1

¿Qué es El Yunque? _____

¿Qué hay allí? _____

¿Por qué es una aventura caminar por El Yunque? _____

_____

Paragraph 2

¿Cómo son las flores? _____

¿Cuántos tipos de orquídeas hay? _____

Paragraph 3

¿Qué animales son únicos en El Yunque? _____

_____

¿Cuánto miden las ranas de El Yunque? _____

¿Cómo son las cascadas de El Yunque? _____

Paragraph 4

¿Cómo se llama un pico muy alto que hay en El Yunque? _____

Paragraph 5

Escribe dos consejos más para los visitantes.

1. *Lleva el paraguas.* _____

2. _____

3. _____

Tus notas

Las palabras: Write down two words or expressions from the reading that you would like to learn. Use them in original sentences.

_____

_____

Las oraciones: Were there any sentences that were difficult for you? Write one down in the space below.

_____

_____

_____

EL GUÍA Y SU HERMANA

Rodrigo es un guía excelente. Tiene 18 años y es guía en el parque nacional El Yunque. A él le gusta caminar por El Yunque por las tardes con su hermana Rocío. A ella también le gustaría ser guía en un parque nacional.

En El Yunque hay muchas flores tropicales. Es un lugar maravilloso con cascadas y picos altos como El Toro, de 3.523 pies. A Rocío le gusta caminar por los senderos y mirar los helechos y las flores. También hay muchos animales. A Rodrigo le gusta estudiar los animales. Hay cotorras puertorriqueñas. La cotorra es un ave que está en peligro de extinción. También hay ranas coquí. La rana coquí es típica de Puerto Rico. Es muy pequeña y se llama coquí porque canta ¡coquí!, ¡coquí!

Te toca a ti

1. ¿Hay un parque nacional cerca de tu ciudad? ¿Te gusta caminar por allí? ¿Por qué?

   _____

2. ¿Te gustaría visitar El Yunque? ¿Por qué? _____

   _____

3. A Rocío le gustaría ser guía en un parque nacional. Y a ti, ¿te gustaría también?

   ¿Por qué? _____

4. ¿Te gustan los animales? ¿Por qué? _____

   _____

5. ¿Te gustan las plantas y las flores?¿Por qué? _____

   _____

¡A ESCRIBIR!

Look at the information on the chart below. Write a letter to a friend about *el parque nacional El Yunque.* You can describe it or plan a visit to the park. Keep it simple. You don't have to use everything in the chart. It's only there to help you get started.

En el parque nacional El Yunque	
tipos de animales	cotorras, múcaros, murciélagos, ranas, boas, sapos, lagartijos, ratas
tipos de plantas	helechos, orquídeas, flores de muchos colores
excursiones	Hay tres excursiones por la mañana y dos por la tarde.
cascadas	La cascada de la Orquídea Blanca es un lugar muy popular para ir a comer; hay un restaurante.
senderos	Hay 5 senderos para caminar o montar en bicicleta.
horas	de 9 a.m. a 4 p.m.
tienda de recuerdos	a la derecha de la salida

Don't forget to write the date.

_____

_____

_____

_____

_____

_____

_____

_____

_____

_____

GUÍA PARA ESTUDIAR: OTRAS FRONTERAS

¿Cuál es tu animal favorito? ¿Por qué?

ECOLOGÍA _____

_____

_____

_____

MANATÍES EN PELIGRO _____

¿Te gustaría visitar otro planeta? ¿Por qué?

CIENCIAS _____

_____

_____

_____

MENSAJES DE LAS GALAXIAS _____

¿Te gusta el cuadro? ¿Por qué?

ARTE _____

_____

_____

_____

PINTEMOS CON PALABRAS _____

¿Qué instrumento te gustaría tocar? ¿Por qué?

MÚSICA _____

_____

_____

_____

LA BOMBA AFRICANA _____

Tus notas

Las palabras: Write down three words or expressions from the reading that you would like to learn. Create three original sentences.

Las oraciones: Were there any sentences that were difficult for you? Write two of them down in the space below.

_____   _____

_____   _____

_____   _____

Now, share your notes with your partner.

UNIDAD 4, CAPÍTULO 7
CONVERSEMOS

Write a dialog about your school experience with someone from another school. Then, practice it with your partner.

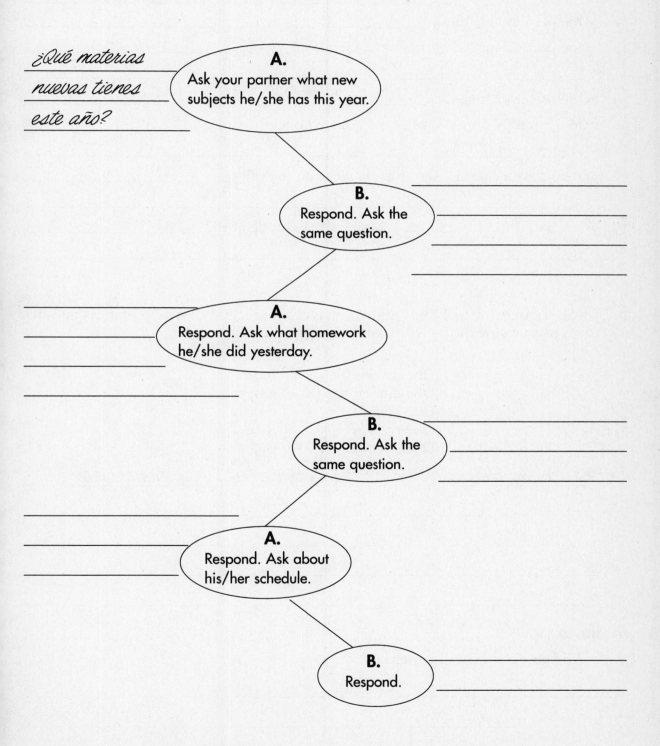

¿Qué materias
_____
nuevas tienes
_____
este año?
_____

A.
Ask your partner what new subjects he/she has this year.

B.
Respond. Ask the same question.
_____
_____
_____

A.
Respond. Ask what homework he/she did yesterday.
_____
_____
_____
_____

B.
Respond. Ask the same question.
_____
_____
_____

A.
Respond. Ask about his/her schedule.
_____
_____
_____

B.
Respond.
_____
_____

¡A LEER!

A. Read page 190 of your textbook. Then, answer the following questions.

1. ¿Cómo llegó Grace a la escuela el primer día de clases ? _____

   _____

2. ¿Qué hizo toda la clase?_____

3. ¿Qué partido jugó el equipo en diciembre?_____

   _____

4. ¿Qué fue emocionante? _____

5. ¿Dónde pasaron muchas horas Pedro y Lola en febrero? _____

   _____

6. ¿Qué leyeron Marta y Curro en la clase de inglés? _____

   _____

7. ¿Qué bailaron María Luisa y Rosa en la Feria de abril? _____

   _____

B. Think about some activities that you have done recently. Write sentences about them using some of the words and expressions below.

¡Qué divertido!	bailé
¡Qué emocionante!	empecé
¡Qué genial!	escribí
¡Qué rollo!	hice
¡Qué suerte!	jugué

1. _La semana pasada leí una novela maravillosa. ¡Qué interesante!_____

2. _____

3. _____

4. _____

5. _____

Tu diario

What did you do at school yesterday?

_____

_____

TE TOCA A TI

1. Label the 3 areas of the school in the drawing. Then, write three sentences saying what happened yesterday in each one.

_____

_____

_____

2. On a separate piece of paper, write a brief description of your classroom.

3. What is your favorite subject in school? Write a dialog about why this is your favorite subject. Practice with your partner.

_____

_____

_____

_____

_____

_____

_____

PALABRAS Y MÁS PALABRAS

A. Fill in this puzzle with words relating to school.

Across:

1. Usas un _____ para ver objetos muy, muy pequeños.
4. Los papeles y apuntes están en la _____ .
7. En el patio de mi escuela hay una _____ para jugar al voleibol.
8. Para escribir necesitas papel y un _____.
9. En la pared del salón de clase hay una_____.
10. Me gusta mucho cantar; estoy en el _____ de mi escuela.

Down:

2. En la clase de _____ aprendes a usar la computadora.
3. Para jugar al baloncesto necesitas una pelota y una _____ .
5. En el _____ de la escuela hay armarios para la ropa y los libros.
6. En la escuela, los estudiantes juegan en el _____ .

B. Write two sentences about your school. Use as many words from the puzzle as you can.

_____

_____

THE PRETERITE OF -AR VERBS

comprar (to buy)

	Present	Preterite
yo	compro	compré
tú	compras	compraste
usted	compra	compró
él/ella	compra	compró
nosotros(as)	compramos	compramos
vosotros(as)	compráis	comprasteis
ustedes	compran	compraron
ellos/ellas	compran	compraron

Para pensar y anotar

• Which verb forms have an accent?

_____

_____

• Which form is the same in the present and the preterite tense?

_____

_____

A. Complete each sentence. Use the verbs in the box to help you. Remember to use the correct form and tense of each verb.

comprar	estudiar	jugar	practicar
dejar	ganar	llegar	sacar
empezar	hablar	pasar	usar

1. Ayer _____ tres horas en el laboratorio y _____ las fórmulas de química.

2. Mi hermano _____ un diccionario; ahora (él) _____ muchas palabras.

3. El año pasado _____ una mala nota en francés; este año _____ español y _____ muy buenas notas.

4. Ayer mis amigos y yo _____ un partido de fútbol y _____ 3-0.

5. La semana pasada (yo) _____ las clases de informática y ya _____ la computadora muy bien.

6. Esta mañana Isabel y Roberto _____ en moto a la escuela y _____ la tarea en casa.

B. Circle the best response to each sentence.

1. Ayer no ganamos el partido.

  a. ¡Qué suerte!   **b.** ¡Fue fácil!   **c.** ¡Qué mala suerte!

2. Saqué una buena nota en español.

  a. ¡Fue fatal!   **b.** ¡Fue fácil!   **c.** ¡Fue horrible!

3. El domingo jugué un partido de tenis y gané 6-4, 4-6, 7-6.

  a. ¡Qué emocionante! **b.** ¡Qué mala suerte!   c. ¡Qué lástima!

EL VIERNES PASADO

Use a form of the preterite and a time expression to describe each scene. Use the pronouns in parentheses.

1. (ellos) *Ellos compraron libros ayer.* _____

_____

2. (yo) _____

_____

3. (ella) _____

_____

4. (tú) _____

_____

THE PRETERITE OF -ER AND -IR VERBS

aprender (to learn)   hacer (to do)

yo	aprend**í**	**hice**
tú	aprend**iste**	**hiciste**
usted	aprend**ió**	**hizo**
él/ella	aprend**ió**	**hizo**
nosotros(as)	aprend**imos**	**hicimos**
vosotros(as)	aprend**isteis**	**hicisteis**
ustedes	aprend**ieron**	**hicieron**
ellos/ellas	aprend**ieron**	**hicieron**

Para pensar y anotar

• Which verb forms take an accent?

_____

_____

• Which vowel substitutes the "a" in the past tense of *hacer*?

_____

• Remember that *-ir* verbs and *-er* verbs have the same endings in the preterite.

A. Mis vacaciones. Complete Aurelia's story about her vacation by changing the verb in parentheses to the preterite.

1. El verano pasado (vivir) _____ en España con una amiga.

2. Nosotros (comer) _____ en restaurantes muy buenos.

3. Yo (escribir) _____ muchas postales a mis amigos.

4. Mi amiga (leer) _____ mucho sobre la historia y la cultura de mi país.

5. Yo (aprender) _____ a bailar sevillanas.

B. Read each answer. Then, write the question it answers.

1. *¿Qué hicieron los chicos?* _____ Hicieron una excursión al parque.

2. _____ Mi hermano hizo el examen a las 10.

3. _____ No, ayer hizo calor.

4. _____ Hice el experimento en el laboratorio.

5. _____ Jorge hizo los problemas.

6. _____ Por la mañana hizo mucho sol.

MARITZA Y EMILIO

Maritza and Emilio spent yesterday together. Write a sentence describing what they did using the word in parentheses. Make sure to use the preterite.

1.  (escribir) _____

_____

_____

_____

2.  (comer) _____

_____

_____

_____

3.  (compartir) _____

_____

_____

_____

4.  (aprender) _____

_____

_____

_____

CHAPTER REVIEW

A. Choose a word from the list below to complete the dialog. Put the verbs in the correct form.

apuntes	genial	moto	qué suerte
cómo	hacer	nota	sacar
cuentos	horrible	poemas	tarea
experimentos	informática	problemas	todavía
fórmulas	leer	qué interesante	vale

1. *A la salida de la escuela.*

Alba: ¿_____ fue tu día?

Begoña: ¡Fue _____! Hice muchos _____ de

matemáticas pero _____ una _____ regular.

Alba: ¿Y en literatura?

Begoña: Bien. La profesora _____ unos _____ muy

bonitos. También nosotros escribimos _____. ¿Y tú, qué tal?

Alba: ¡_____! Saqué una A en _____ y en

química hicimos unos _____ muy interesantes.

Begoña: ¡_____! Ahora tengo que ir a casa. ¡Hasta luego!

2. *Por la tarde en casa de Alba*

Begoña: ¿Leíste los _____ de historia?

Alba: Sí. Y tú, ¿hiciste la tarea?

Begoña: _____ no. Tengo que estudiar unas _____

de álgebra.

Alba: ¡Qué mala suerte! Me gustaría ir a pasear en _____.

¿Vamos?

Begoña: ¡_____, vamos! Y hago la _____ por la noche.

B. In each group of words, there is one word that doesn't belong. Write a short sentence with that word on the line.

1. pasillo, patio, capítulo, salón de actos: _*El capítulo 12 es muy difícil.*_

2. planta, álgebra, geometría, francés: _____

3. tarea, experimento, problema, enfermo: _____

4. fórmula, literatura, álgebra, problema: _____

5. apuntes, carpeta, libro, excursión: _____

6. cuento, equipo, novela, poema: _____

C. Write the question for each of the following responses. Use the words in the box to help you.

después de clase	capítulos de *Don Quijote*
en el examen de geometría	después del partido
el partido de fútbol	

Pregunta — **Respuesta**

1. _*¿Qué hicieron ustedes*_ — Estudiamos en casa de Luis.
   *después de la clase?*

2. _____ — Saqué una B.

3. _____ — El equipo de Parkside ganó.

4. _____ — Leí dos capítulos.

5. _____ — Comí una hamburguesa con Santiago después del partido.

UNIDAD 4, CAPÍTULO 8

CONVERSEMOS

Write a dialog about going out. Then, practice the dialog with your partner.

Generalmente, _____
¿con quién _____
sales? _____

A.
Ask your partner with whom he/she usually goes out.

B.
Respond. Ask the same question.
_____
_____
_____

A.
Respond. Ask what he/she usually does before going out.
_____
_____
_____
_____

B.
Respond. Ask the same question.
_____
_____

A.
Respond. Ask him/her to go out with you tonight.
_____
_____
_____
_____

B.
Respond. Ask where you will meet.
_____
_____
_____

A.
Respond. Say good-bye.
_____
_____
_____

¡A LEER!

A. Read the schedule *La semana en Sevilla* on pages 208 and 209 of your textbook. Then, answer the following questions.

1. ¿Dónde es la Exposición de Arte de Sevilla? _____

   _____

2. ¿Qué días puedes ir al museo? _____

3. ¿Cuánto cuesta la entrada? _____

4. ¿A qué hora es el baile? _____

5. ¿En qué sala está la película *Flamenco?* _____

6. ¿Quién es el director de *Flamenco?* _____

7. ¿Cuánto cuesta la entrada en la sala Rialto? _____

8. ¿Qué días es el concierto de rock de la banda La Lola? _____

   _____

9. ¿Qué equipos juegan al fútbol en el estadio Benito Villamarín? _____

   _____

10. ¿Cuánto cuesta la entrada al teatro Lope de Vega? _____

B. Circle the correct answer. Use the information on pages 208 and 209 of your textbook.

1. La entrada a la discoteca Guadalquivir cuesta...
   a. 1.500 pesetas   **b.** 400 pesetas   **c.** 200 pesetas

2. La banda de rock La Lola va a tocar en...
   a. el estadio Benito Villamarín   **b.** la discoteca Guadalquivir   **c.** la plaza de San Francisco

3. Hay un baile de sevillanas en...
   a. la sala Rialto   **b.** el teatro Lope de Vega   **c.** la Academia Manolo Marín

4. Puedes ir a la sala de cine...
   a. de martes a viernes   **b.** de martes a domingo   **c.** todos los fines de semana

Tu diario

Who did you go out with last Saturday? What did you do?

_____

_____

TE TOCA A TI

1. Circle two people in the drawing. What might they be saying to each other? Write a dialog for them on a separate piece of paper. Then, practice it with your partner.

2. Call your best friend and leave a message on his/her machine. Use a separate piece of paper. Read your message in front of the class.

3. Write a brief description of what you do when you wake up on a school day. Then write about what you do on Sunday.

_____

_____

_____

_____

_____

_____

_____

_____

_____

PALABRAS Y MÁS PALABRAS

A. El sábado por la noche. There are 20 words hidden in the following puzzle. There are items of clothing, places to go, telephone talk, prices of tickets in pesetas and words that have something to do with you.

```
B  O  F  A  L  D  A  M  A  G  N  A  R  E  B
F  A  R  M  A  I  N  Í  M  C  S  L  S  X  M
E  F  I  A  R  E  T  F  U  A  O  L  E  P  O
N  Ó  D  L  V  N  T  V  O  M  N  C  Y  O  F
T  G  B  J  E  T  R  A  S  I  A  I  K  S  E
R  O  L  F  S  E  O  R  V  S  M  C  A  I  J
A  C  U  M  T  S  P  T  T  A  B  R  O  C  A
D  E  S  N  I  L  A  E  C  A  L  A  M  I  S
A  L  A  N  D  R  F  L  O  B  T  Ú  F  Ó  N
B  A  E  S  O  T  A  P  A  Z  É  T  N  N  E
T  H  F  M  S  A  T  N  E  I  N  I  U  Q  M
O  C  H  O  C  I  E  N  T  A  S  R  B  U  N
R  M  T  L  S  E  N  O  L  A  T  N  A  P  O
```

¿Qué vas a ponerte el sábado por la noche?
_____
_____
_____
_____
_____
_____

B. Complete the following sentences about going out. Use words from the puzzle:

1. Carmen quiere ir a una _____ de _____ moderno en el Museo Botero.

2. Bernardo quiere ir a un _____ en la YMCA.

3. Luisa se pone su _____ azul, una _____ blanca y sus _____ nuevos.

4. Julio quiere ir a un partido de _____.

5. Juan quiere ponerse una _____ roja.

6. La entrada al museo cuesta _____ pesetas y la entrada al partido cuesta _____.

7. María llama a Carlos por teléfono y deja un _____ en su contestador automático.

8. Inés se lava el _____, se cepilla los _____ y se pone la ropa para ir al baile.

THE VERBS PODER AND SALIR

poder(ue) (to be able to)
salir (to go out, to leave)

	Poder(ue)	**Salir**
yo	p**ue**do	**salgo**
tú	p**ue**des	sales
usted	p**ue**de	sale
él/ella	p**ue**de	sale
nosotros(as)	podemos	salimos
vosotros(as)	podéis	salís
ustedes	p**ue**den	salen
ellos/ellas	p**ue**den	salen

Para pensar y anotar

• In which forms of **poder** does the **o** change to **ue**?

_____

_____

• Which form of **salir** is irregular?

_____

A. ¿Qué pueden hacer? You want to know what the following people can do. Ask each one of them a question to find out.

1. tú / ir al baile el sábado _____ *¿Puedes ir al baile el sábado?* _____

2. ellos / escuchar música cuando estudian _____

_____

3. yo / hacer la tarea en la clase de español _____

_____

4. ustedes / leer una novela _____

5. nosotros / hacer esquí acuático _____

B. ¿Con quién sales? Read each answer. Then, write the question it answers.

Pregunta	**Respuesta**
1. *¿Sale María todos los días?*	No, ella sale los fines de semana.
2. _____	Salimos a las 5 de la tarde.
3. _____	¡Vale! ¿Adónde vamos?
4. _____	Los domingos salgo con mi hermana.
5. _____	No, Irene no sale esta noche.

¿CON QUIÉN SALE LA GENTE?

Answer these questions. Use the illustrations as a clue.

1.

2.

3.

4.

5.

1. ¿Con quién sale Vinicio?

_____

2. ¿Con quién sale Juan?

_____

3. ¿Sale la señora Ortega con sus amigas?

_____

4. ¿Con quién sales tú?

_____

5. ¿Con quién salen Kim y Sara?

_____

REFLEXIVE VERBS

ponerse (to put on, to wear)

yo	**me** pongo	nosotros(as)	**nos** ponemos
tú	**te** pones	vosotros(as)	**os** ponéis
usted	**se** pone	ustedes	**se** ponen
él/ella	**se** pone	ellos/ellas	**se** ponen

Para pensar y anotar

- Which form of **ponerse** is an irregular **-er** verb?

  _____

- What are the reflexive pronouns?

  _____

A. Un anuncio. Read the following TV ad about a toothpaste. Fill in the blanks with the appropriate reflexive pronoun.

Delia: Ay, Elsa, tienes unos dientes muy bonitos.

¿Con qué _____*te*_____ cepillas los dientes?

Elsa: _____ cepillo con pasta *Blancadent*, ¿y tú?

Delia: Yo _____ cepillo con pasta *Duramás*.

Elsa: La pasta *Blancadent* es excelente. Mis amigos _____ cepillan con *Blancadent* también. En casa, todos_____cepillamos con *Blancadent*.

Delia: Gracias Elsa. Yo voy a _____ con pasta *Blancadent*.

Elsa: Usa pasta *Blancadent* para tener dientes blancos.

B. En el teléfono. Write a telephone conversation with your best friend. You are talking about what you are wearing for the party tonight.

_____

_____

_____

_____

_____

_____

_____

LA RUTINA DIARIA

Write a sentence telling what Norberto is doing in each of the illustrations. Then, draw your own picture and write a sentence telling what he is doing.

1.

2.

3.

4.

5.

6.

7.

1. _Norberto se ducha._
2. _____
3. _____
4. _____
5. _____
6. _____
7. _____

B. On a separate piece of paper, write a story about a mixed up day when Norberto does everything out of order and arrives late to school. Include some dialog.

CHAPTER REVIEW

A. Say what the following people do to prepare themselves in these situations. Choose from the list of verbs provided.

ducharse en el gimnasio   ducharse   peinarse
ponerse el vestido   cepillarse los dientes   ponerse un suéter
ponerse el impermeable

1. yo / antes de ir al dentista

Yo me cepillo los dientes.

2. tú / antes de salir de casa en un día con mucha lluvia

_____

3. mis amigos / después de jugar al fútbol en la escuela

_____

4. mis amigos y yo / antes de salir de casa en un día fresco

_____

5. tu prima / antes de ir a una fiesta

_____

6. mi profesor(a) / después de volver a casa cuando hace mucho viento

_____

B. Answer the following questions.

1. ¿Sales con los amigos cuando llueve mucho?

_____

2. ¿Salen tú y tus amigos todos los fines de semana?

_____

3. ¿Dónde se encuentran tú y tus amigos cuando salen por la noche?

_____

4. ¿Qué ropa te pones para salir con los amigos?

_____

5. ¿Qué hacen tú y tus amigos para prepararse antes de salir por la noche?

_____

C. Tell what is the most expensive item from the list that each of the following people can buy.

Un vestido bonito	$ 325,00	Unos zapatos deportivos	$ 85,00
Unas vacaciones exóticas	$ 9.500,00	Una computadora nueva	$ 2.000,00
Una carpeta	$ 1,25	Un taco de pollo	$ 2,50
Un sofá viejo	$ 200,00	Un disco compacto	$ 15,00

1. Sofía y Sonia tienen trescientos cuarenta dólares cada una.
  Ellas pueden comprar un vestido elegante.

2. Marco y yo tenemos dos dólares y sesenta centavos.

  _____

3. Jorge tiene diez mil dólares.

  _____

4. Yo tengo dos mil doscientos dólares.

  _____

5. Mi hermana tiene quince dólares.

  _____

D. Complete this dialog using the words below.

claro	hablar	mensaje	tengo
dile	hasta	momento	todavía
encontramos	lista	salir	volver
por favor			

Cristina: Hola, ¿puedo _____ con Susana, por favor?

Juan: No está, pero va a _____ en una hora. ¿Quieres dejar un _____?

Cristina: Sí, soy Cristina. _____ que me llame, por favor.

Diez minutos más tarde.

Susana: Hola, ¿puedo hablar con Cristina, _____?

Juan: Un _____, por favor. ¡Cristina, es para ti!

Cristina: ¡Hola Susana! ¿Quieres _____ esta noche?

Susana: ¡_____ que quiero salir! ¿Dónde nos _____?

Cristina: En el cine Astoria a las 8:30 de la noche. ¿Estás _____?

Susana: No, _____ no estoy lista. _____ que secarme el pelo.

Cristina: Muy bien. ¡_____ luego!

UNIDAD 4, ADELANTE
GUÍA PARA ESTUDIAR: MARAVILLAS DE ANDALUCÍA

Read "Maravillas de Andalucía" on pages 224-225 of your textbook. Then go back over each paragraph to answer the questions.

Paragraph 1

¿Quiénes vivieron en Al-Andalus por más de 700 años? _____
_____

Paragraph 2

¿En qué fue importante la influencia de los árabes y de los judíos? _____
_____

Paragraph 3

¿En qué ciudades de Andalucía hay edificios únicos? _____
_____

Paragraph 4

¿Qué hay en la Alhambra? _____

Paragraph 5

¿Qué era la Giralda? _____

Paragraph 6

¿En cuánto tiempo se construyó la Mezquita de Córdoba? _____

Paragraph 7

¿Qué tipo de diseños hay en las paredes y en los techos? _____
_____

Paragraph 8

¿Cuál es el instrumento principal del flamenco? _____

Paragraph 9

¿Cuántas palabras que vienen del árabe tiene el español? _____

Tus notas

Las palabras: Write down two words or expressions from the reading that you would like to learn.

Las oraciones: Were there any sentences that were difficult for you? Write one down in the space below.

_____   _____

_____   _____

DE VISITA EN ANDALUCÍA

Adela y Teresa son estudiantes de arte español. Estudian en la Universidad de Córdoba. Adela quiere ver° la arquitectura de la Alhambra en Granada, la Giralda en Sevilla y la Mezquita de Córdoba. Teresa también quiere ver los edificios, las fuentes y los jardines de la Alhambra.

La región de Andalucía es maravillosa. Teresa y Adela van por la mañana a la Mezquita de Córdoba. Es un edificio muy grande y muy importante. Otro día van a Sevilla para ver la Giralda. Es una torre muy alta que hoy es parte de la Catedral de Sevilla. También van a la Alhambra, que tiene edificios muy interesantes. A Teresa le encantan los jardines y las fuentes.

ver: to see

Te toca a ti

1. ¿Te gustaría estudiar historia del arte? ¿Por qué?

_____

_____

2. ¿Conoces otros países con arquitectura árabe?

_____

_____

3. ¿Te gustaría estudiar en España? ¿Por qué?

_____

_____

4. ¿Hay edificios interesantes en tu ciudad? ¿Cuáles?

_____

_____

5. ¿Te gustaría visitar Andalucía? ¿Por qué?

_____

_____

¡A ESCRIBIR!

Write about a trip to a city or small town in Andalucía. Tell what places you visited and what you did. Use some of the words from the list below:

catedral	excursiones	museo
costar	exposición de arte	¡qué genial!
divertido	historia	sacar fotos
edificios	importante	semana pasada
entrada	interesante	
escuela	maravilloso	

_____

_____

_____

_____

_____

_____

_____

_____

_____

_____

_____

_____

_____

_____

_____

_____

_____

_____

GUÍA PARA ESTUDIAR: OTRAS FRONTERAS

¿Qué sabes de las reservas ecológicas en Estados Unidos? ¿Dónde están? ¿Qué animales están en peligro de extinción?

ECOLOGÍA _____

_____

_____

_____

EL COTO DE DOÑANA

¿Cuál es tu juego de mesa favorito? ¿Por qué?

IDIOMA _____

_____

_____

_____

¡JAQUE MATE!

¿Cómo te gusta viajar? ¿Por qué? ¿En qué países hay trenes de alta velocidad?

TECNOLOGÍA _____

_____

_____

_____

UN AVE QUE ES UN TREN

¿Quién es tu poeta favorito? ¿Por qué? ¿Qué escribió?

LITERATURA _____

_____

_____

_____

EL POETA DE LOS GITANOS

Tus notas

Las palabras: Write down three words or expressions from the reading that you would like to learn. Write original sentences with them.

_____

_____

_____

_____

Las oraciones: Were there any sentences that were difficult for you? Write two down in the space below.

_____

_____

_____

_____

Now, share your notes with your partner.

UNIDAD 5, CAPÍTULO 9
CONVERSEMOS

Write a dialog about the media. Then, practice the dialog with your partner.

¿Qué te gusta
ver en la
televisión?

A.
Ask your partner what he/she
likes to watch on television.

B.
Respond and give a
reason. Ask the same
question.

A.
Respond and give a
reason. Ask what he/she
watched last night.

B.
Respond and give your opinion
of the show. Ask what he/she
watched last night.

A.
Respond and compare it to another show.
Ask what kind of music he/she prefers.

B.
Respond. Ask
the same question.

A.
Respond and compare it
to another type of music.

¡A LEER!

A. Read the information on page 238 of your textbook. Then, answer the following questions.

1. ¿Qué es *Sábado Gigante*? _____
_____

2. ¿Qué película hay en el canal 51 a las 9:30 p.m.? _____

3. ¿En qué canal puedes ver un partido de baloncesto? _____

4. ¿Qué es *El gato travieso*? _____

5. ¿Qué programa hay a las 8:30 en el canal OLÉ? _____

B. Complete the following sentences according to the information on page 238 of your textbook.

1. A las 4:00 en el canal 23 puedes ver el programa de_____.

2. Patricia Janiot y Jorge Gestoso leen las _____ en el
_____.

3. Lili Estefan tiene un programa divertido de _____ y
_____.

4. Roberto Vengoechea tiene un programa de radio de _____.

5. Hay un partido de _____ en la estación de radio WMEX a las
6:00 p.m.

6. En el _____ 41 puedes ver la _____ *Alondra*.

C. Based on the reading, choose two programs you would like to watch. Write about why you would want to watch them.

_____

_____

Tu diario

What did you watch on television last night? How was it?

_____

_____

_____

TE TOCA A TI

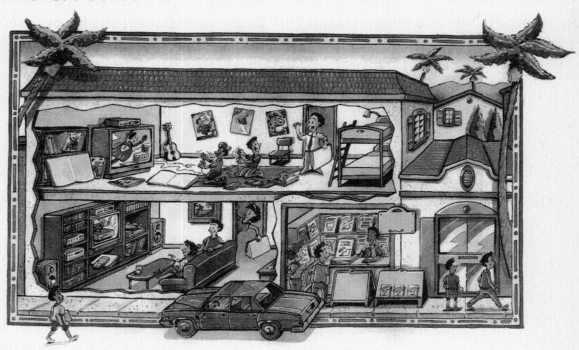

1. Write down what the people in the drawing are doing.

_____

_____

_____

2. Pick two people in the drawing. Write a dialog for them.

_____

_____

_____

_____

3. Write a television commercial in Spanish. Act out your commercial for the class.

_____

_____

_____

PALABRAS Y MÁS PALABRAS

A. ¡Tantos medios de comunicación! Fill the crossword puzzle with words about the media. Use the clues given.

Across:

1. En la revista de _____ encuentras los programas de cine y televisión de la semana.
4. Es una _____ de modas.
6. ¡_____ la radio! No puedo leer.
7. Baja el _____ del televisor, está muy alto.
8. Tengo muchos _____ compactos.
9. Todas las mañanas leo las noticias en el _____.

Down:

2. Voy al cine a ver una _____.
3. Hay una _____ de video en la videocasetera.
5. Compré un _____ nuevo.

B. Complete the following dialogs with words from the puzzle.

1. **Andrea:** ¿A qué hora puedes ver *Sábado Gigante*?
   Daniel: No lo sé. Lee la revista de _____.

2. **Michael:** El _____ del _____ está muy alto. ¿Por qué?
   Wendy: Porque es una _____ en español y no comprendo los diálogos.

3. **Juan:** ¿Quieres leer esta _____?
   Manuel: No, prefiero leer el _____. Es más interesante.

THE PRETERITE OF <u>VER</u>

preterite of ver (to see, to watch)

yo	**vi**	nosotros(as)	**vimos**
tú	**viste**	vosotros(as)	**visteis**
usted	**vio**	ustedes	**vieron**
él/ella	**vio**	ellos/ellas	**vieron**

Para pensar y anotar

- What strategy can you use to help you remember these forms of *ver*?

  _____

- Do any of the preterite forms of *ver* have an accent?

  _____

A. Una encuesta. For a project on television viewing habits, Leonardo wants to know what programs his family and friends saw last night. Tell what each person saw based on the clues.

1. Tiene mucha acción. Tom Cruise trabaja en ella.

(sus hermanos)_____*Sus hermanos vieron una película.*_____

2. Es un programa de animales de la selva tropical.

(su mamá)_____

3. Barbara Walters habla con el Presidente de los Estados Unidos.

(tú)_____

4. Hoy es la boda del doctor y de la víctima del accidente.

(yo)_____

5. Hablaron de un detergente maravilloso.

(Sarita y yo)_____

B. Las comparaciones. You and your friend are comparing magazines and television programs. Compare the things given below using *más, menos, mejor* or *peor que* and the following clues.

informativo
entretenido
educativo
interesante

las películas   las telenovelas
los noticieros   la teleguía
los anuncios   las historietas
los documentales   las revistas de moda

1. los noticieros / las historietas

Los noticieros son más informativos que las historietas.

2. las telenovelas / los noticieros

_____

3. las noticias / las telenovelas

_____

4. los anuncios / los documentales

_____

PROGRAMAS DE TELEVISIÓN

Identify the type of program on each television set. Say something about the program and compare it with another program.

1.

2.

3.

4.

5.

6.

1.(yo) _Vi dibujos animados. Son entretenidos. Son mejores que las telenovelas._

2. (Mariví)_____

_____

3. (Jacobo)_____

_____

4. (los abuelos)_____

_____

5. (Papá y yo)_____

_____

6. (tú)_____

_____

DIRECT OBJECT PRONOUNS

DIRECT OBJECT PRONOUNS	
lo him, it	**los** them (masc.)
la her, it	**las** them (fem.)

Para pensar y anotar

• When is a direct object pronoun used?
_____

• Is the direct object pronoun placed before or after the verb?
_____

A. For his Spanish class, Paco wrote this paragraph about what he and his family did last weekend. Read it and answer the questions.

> *Mis padres escucharon las noticias todo el día. Yo compré un estéreo. Susana vio una película. Aurelio y Felipe escribieron la sección de modas para una revista.*

1. ¿Escucharon las noticias los padres de Paco?   *Sí, las escucharon.*

2. ¿Compró Paco un estéreo?   _____

3. ¿Vio Susana una película?   _____

4. ¿Escribieron Aurelio y Felipe la sección de espectáculos?_____
_____

B. Los regalos. Interview a friend. Ask if he/she bought the items in parentheses. Write the answer. Then practice the sentences with your friend.

1. la videocasetera
   ¿Compraste la videocasetera? Sí, (No, no) la compré.

2. la teleguía
_____

3. los discos compactos
_____

4. las cintas de música popular
_____

¿TIENES TODO?

Miranda wants to make sure her older brother, Raúl, didn't forget anything for his new apartment. Look at the picture of the items he plans to take. How will Raúl respond to each of her questions?

1. ¿Tienes la guitarra?

Sí, la tengo.

2. ¿Tienes el walkman?

_____

3. ¿Tienes las cintas?

_____

4. ¿Tienes el televisor?

_____

5. ¿Tienes los discos compactos?

_____

6. ¿Tienes la revista de moda?

_____

7. ¿Tienes el control remoto?

_____

8. ¿Tienes el estéreo?

CHAPTER REVIEW

A. What kind of music and television programs do you like? Use the list of words to express your preferences. Follow the model.

aburrido(a)	entretenido(a)	interesante	relajante
bailable	fantástico(a)	lento(a)	ruidoso(a)
educativo(a)	genial	rápido(a)	tradicional
divertido(a)	informativo(a)	popular	cómico(a)

1. las películas / los programas de entrevistas (más / menos)

   Las películas son más populares que los programas de entrevistas.

2. las telenovelas / los programas de concursos (más / menos)

   _____

3. los documentales / el noticiero (mejor / peor)

   _____

4. los anuncios / los dibujos animados (mejor / peor)

   _____

5. el rock duro / el reggae (más / menos)

   _____

6. la música clásica / el jazz (más / menos)

   _____

7. el jazz / la salsa (más / menos)

   _____

8. la música folclórica / el rap (más / menos)

   _____

9. la música popular / el reggae (mejor / peor)

   _____

10. el rap / el rock duro (mejor / peor)

   _____

B. Write four sentences giving your opinion about music, using the cues provided.

1. mejor que: _____

2. peor que: _____

3. mejor que: _____

4. peor que: _____

C. A group of friends work in the media room at their school. Answer their questions, using an appropriate direct object pronoun in your response.

1. ¿Viste el noticiero anoche? (no)

_____

2. ¿Vio Rufina las historietas esta mañana? (sí)

_____

3. ¿Usaron la videocasetera Ricardo y Lucía? (sí)

_____

4. ¿Vieron tus amigos la película anoche? (no)

_____

5. ¿Ya compraste los nuevos discos compactos? (sí)

_____

6. ¿Ya vieron Uds. todas las telenovelas hoy? (no)

_____

7. ¿Ya viste todos los documentales nuevos? (sí)

_____

D. Answer the following questions.

1. ¿Qué sección del periódico te gusta más? ¿Y cuál te gusta menos? ¿Por qué?

_____

_____

2. ¿Cuál es tu programa de televisión favorito?
¿Y cuál es el programa menos interesante? ¿Por qué?

_____

_____

3. ¿Qué tipo de música te gusta más? ¿Y menos? ¿Por qué?

_____

_____

UNIDAD 5, CAPÍTULO 10
CONVERSEMOS

Write a dialog about shopping. Then practice the dialog with your partner.

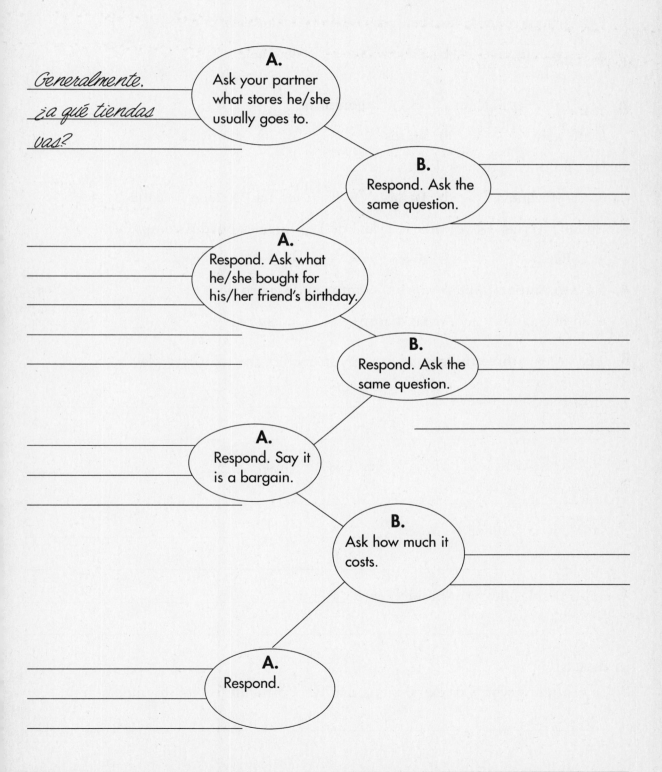

Generalmente,
¿a qué tiendas
vas?

A.
Ask your partner
what stores he/she
usually goes to.

B.
Respond. Ask the
same question.

A.
Respond. Ask what
he/she bought for
his/her friend's birthday.

B.
Respond. Ask the
same question.

A.
Respond. Say it
is a bargain.

B.
Ask how much it
costs.

A.
Respond.

¡A LEER!

A. Read the article on page 256 of your textbook. Then, circle the best answer.

1. Este artículo cuenta las aventuras de Ana Luisa Reyes por...

    a. los vecindarios   **b**. Puerto Rico   **c.** Dallas
    hispanos

2. En El Barrio de Nueva York, Ana compró...

    a. un reloj   **b**. aretes   **c.** una camiseta

3. Hay productos típicos de Cuba en...

    a. La Marqueta   **b.** Dallas   **c.** La Pequeña Habana

4. En las joyerías del vecindario latino de Los Ángeles puedes comprar...

    a. collares   **b.** discos   **c.** frijoles

5. En San Antonio, Ana compró un cinturón de cuero para...

    a. su hermano   **b.** su madre   **c.** su padre

B. List at least three things you can buy in each of the following places:

1. en El Barrio de Nueva York: _____

_____

2. las joyerías del vecindario latino de Los Ángeles: _____

_____

3. La Pequeña Habana en Miami: _____

_____

4. en las tiendas de San Antonio: _____

_____

Tu diario

Write down any words or expressions that were difficult for you to understand.

_____

TE TOCA A TI

1. What do you see in the drawing? Label as many things as you can.

2. What would you buy? Write a dialog between you and a salesperson. Then practice it with your friend.

_____

_____

_____

_____

_____

_____

_____

PALABRAS Y MÁS PALABRAS

A. De compras. Fill in the spaces with the words according to the clues given.

1. Una cosa muy barata. ____ ____ ____ ____ ____
               16   13   10

2. Tienda donde puedes comprar anillos. ____ ____ ____ ____ ____ ____
               3   9   17

3. Metal amarillo muy caro. ____ ____ ____
             2   19

4. Persona que ayuda en una tienda. ____ ____ ____ ____ ____ ____ ____
            1   21   15   14

5. Zapatos para el verano. ____ ____ ____ ____ ____ ____ ____ ____
           20   18

6. Metal gris para hacer joyas. ____ ____ ____ ____ ____
           21   4   25

7. Joya que usan el novio y la novia en la boda. ____ ____ ____ ____ ____ ____
            28   23   6

8. Tienda grande donde compras comida.

   ____ ____ ____ ____ ____ ____ ____ ____ ____ ____ ____
    12 8   11 24   5

9. Lo usas para lavarte el pelo. ____ ____ ____ ____ ____
         28   22 7

10. Material para hacer cinturones. ____ ____ ____ ____ ____
          26   27

B. Use the numbers under the letters in Excercise A to fill in the blanks.

____ ____ ____ ____ ____ ____ ____ ____ ____ ____ ____
 1   2   3   4   5   6   7   8   9   10 11

____ ____ ____ ____ ____ ____ ____ ____ ____
 12 13   14 15 16 17 18 19   20 21

____ ____ ____ ____ ____ ____ ____
 22 23 24 25 26 27 28

C. Match each item in the left column with the place you can buy it in the right column:

maquillaje   tienda de ropa
zapatos   supermercado
camisa   zapatería
collar   farmacia
arroz   joyería

THE PRETERITE OF THE VERB **IR**

ir (to go)			
yo	**fui**	nosotros(as)	**fuimos**
tú	**fuiste**	vosotros(as)	**fuisteis**
usted	**fue**	ustedes	**fueron**
él/ella	**fue**	ellos/ellas	**fueron**

Para pensar y anotar

• Do any preterite forms of **ir** have an accent?

_____

A. **Fuimos de compras.** Read the paragraph to see where these people went shopping and what they bought. Then retell the story using the preterite of **ir.**

Consuelo y Laura compraron aretes y anillos en la joyería. Nosotros compramos corbatas en el almacén. Yo compré frutas y verduras en el supermercado. Tú compraste un perfume en la farmacia. Lorenzo compró botas en una zapatería. Tú y Alvaro compraron un televisor y un control remoto en la tienda de aparatos electrónicos.

1. (Consuelo y Laura) _Consuelo y Laura fueron a la joyería a comprar_
aretes y anillos.

2. (nosotros) _____

_____

3. (yo) _____

_____

4. (tú) _____

_____

5. (Lorenzo) _____

_____

6. (Ustedes) _____

_____

TENGO QUE COMPRAR UN REGALO

demonstrative adjectives		
singular		
este	anillo	*this ring*
esta	pulsera	*this bracelet*
ese	perfume	*that perfume*
esa	gorra	*that cap*
plural		
estos	anillos	*these rings*
estas	pulseras	*these bracelets*
esos	perfumes	*those perfumes*
esas	gorras	*those caps*

Para pensar y anotar

• When do you use demonstrative adjectives?

_____

_____

_____

A. Ana Alicia and Mercedes are at the jewelry department of a department store. Complete the dialog with demonstrative adjectives.

Remember that we use *este/esta/estos/estas* when the speaker is close to the object and *ese/esa/esos/esas* when the speaker is far from the object.

Ana Alicia: Me gusta _____ese_____ collar que está allí.

Mercedes: A mí también, pero me gusta más _____ anillo que está aquí.

Ana Alicia: Y _____ anillos que veo aquí son muy baratos.

Mercedes: ¿Te gusta _____ pulsera que está allí?

Ana Alicia: Sí, mucho. Pero quiero ver _____ pulseras de aquí también.

Mira, Mercedes,_____ pulsera me queda muy bonita, ¿verdad? La compro.

B. Use demonstrative adjectives and other words and expressions to complete the following dialog.

cliente(a): Hola, tengo que comprar un regalo para mi madre. Me gustan _____ aretes que están en la pared. ¿_____?

vendedor(a): Cuestan $36. Son de oro.

cliente(a): Son un poco caros. ¿Cuánto cuesta _____ pulsera que está aquí?

vendedor(a): _____ $42. También es _____.

Allí tenemos artículos que están en rebaja.

¿Le gusta _____ collar que está arriba?

cliente(a): No mucho… Pero me gusta _____ broche de plata que está allí.

vendedor(a): Sólo cuesta $22. ¡Es una ganga!

cliente(a): Si no le gusta a mi madre, ¿lo puedo cambiar?

vendedor(a): Sí, claro que _____.

INDIRECT OBJECT PRONOUNS

Indirect Object Pronouns

me	to/for me	**nos**	to/for us
te	to/for you (informal)	**os**	to/for you (pl.)
le	to/for him, her, it, you (formal)	**les**	to/for them, you (pl.)

Para pensar y anotar

- How do you say that you gave something to someone?

_____

A. Les dimos todo. Petra and her friend Lucía gave away several items to people they know. Answer the questions by using the list to tell what they gave away.

1. Petra, ¿qué le diste al primo Roberto?

   Le di mis corbatas. _____

2. Lucía, ¿qué les diste a tus primos Ernie y Ramiro?

   _____

3. ¿Ustedes qué les dieron a Camilo y a Omar?

   _____

4. ¿Qué me dieron ustedes a mí?

   _____

5. ¿Qué nos dieron a Claudia y a mí?

   _____

6. Lucía, ¿qué te dio Petra a ti?

   _____

7. Petra, ¿que le diste a nuestro hermanito?

   _____

la bicicleta
los discos
dos
cinturones
los zapatos negros
un anillo
unos broches
una gorra
un perfume
una pulsera
los jabones
mis corbatas
un estéreo
diez revistas
una guitarra

B. Me dieron muchos regalos. Anastasia is happy because everybody gave her something for her birthday. Complete the paragraph with the appropiate form of *dar* using the preterite.

Mi hermano me _____ un cinturón de cuero que vi en el almacén.

Mis tíos me _____ los aretes de plata de la tía Julia. Tú me _____

la pulsera que vimos en la joyería. Mis amigos me _____ las botas

que vi en la zapatería. Mi abuelo me _____ muchos regalos y yo les

_____ a todos un pastel de chocolate y refrescos.

LOS REGALOS

Look at the illustrations and tell to whom your cousin gave the presents that he/she brought from Spain. (Make sure you change the verb to the past tense.)

1.

2.

3.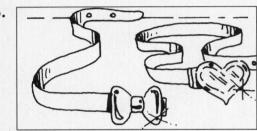

4.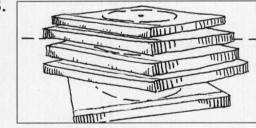

5.

6.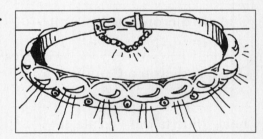

1. (a tu mamá / dar) *A mi mamá le dio un perfume.*_____

2. (a tus hermanas y a ti / comprar) _____

_____

3. (a tu tía / regalar) _____

4. (a tu primo / regalar)_____

5. (a tus hermanos / dar) _____

6. (a ti / comprar) _____

CHAPTER REVIEW

A. Choose from the list of stores provided and write complete sentences telling where the people indicated went to make their purchases.

la joyería	la tienda de ropa	la zapatería
un puesto en la feria	la farmacia	

1. Isabel / aretes de plata

_____

2. Mario y Carlos / una corbata

_____

3. tú / un taco de pollo

_____

4. yo / sandalias de cuero

_____

5. tú y yo / pasta de dientes

_____

6. Susana y Rebeca / un anillo de plata y una pulsera

_____

B. Complete the following dialog using some of the words below.

aceptan	gusta	pulsera
broche	gustan	tengo
de crédito	le	tienes

Magda: Oye, Sonia, me _____ estas joyas. _____ voy a

regalar esta _____ a mi mamá.

Sonia: Es muy bonita. ¿_____ dinero?

Magda: No, pero _____ tarjetas _____.

C. Complete the following dialog using some of the words below.

ayudar	cuál	gustaría	me	pequeño
cambiar	dónde	le	menos	quedar
cinturón	esos	más	nos	te
corbata	estas			

Vendedor: ¿En qué _____ puedo _____?

Mateo: Me _____ devolver este _____.

Vendedor: ¿_____ es el problema?

Mateo: _____ queda _____.

Vendedor: Entonces, lo puede _____ por uno de _____

cinturones. Son _____ grandes.

D. You are buying things for your friends. Assume you are looking at these items in a huge store. You are standing close to the items in Group A and far from the items in Group B.

Group A		Group B	
anillo	gorras	videocasetera	motocicleta
cinturón	pulsera de plata	radio	estufa
perfume		televisor	

1. a tu madre

Le voy a comprar un cinturón. Me gustaría este cinturón de cuero.

_____

2. a tu hermano(a)

_____

_____

3. a tus amigos

_____

_____

4. a ti

_____

_____

5. a tu profesor(a) de español

_____

_____

UNIDAD 5, ADELANTE

GUÍA PARA ESTUDIAR: LOS MURALES, UNA TRADICIÓN HISPANA

Read "Los Murales: Una tradición hispana" on page 272-273 of your textbook. Then go back over each paragraph to answer the questions.

Paragraph 1

¿De qué tradición cultural son típicos los murales? _____
_____

¿Por qué hay muchos murales en Los Ángeles, Miami y Nueva York? _____
_____

Paragraph 2

¿Quiénes fueron los primeros muralistas? _____
_____

¿Qué representan los murales hoy día? _____
_____

Paragraph 3

¿De dónde es Diego Rivera? _____

¿Que ilustran los murales de Rivera? _____

Paragraph 4

¿Dónde pintó Rivera sus murales? _____
_____

¿Cuál era la idea de su arte? _____

Paragraph 5

¿De dónde es Víctor Ochoa? _____

¿Quién fue Gerónimo? _____

Paragraph 6

¿Qué muestran los jóvenes artistas en sus murales? _____

Tus notas

Las palabras: Write down three words or expressions from the reading that you would like to learn.

_____

_____

Las oraciones: Were there any sentences that were difficult for you? Write one of them down in the space below.

_____

LOS MURALES

Ana María Sánchez, Pilar Romero y Anita Fernández son tres jóvenes hispanas que viven en Los Ángeles. Son estudiantes de arte moderno en la Universidad de California en Los Ángeles.

Este año ellas quieren ver el arte de los muralistas hispanos en los Estados Unidos. En el verano van a ir a San Diego para ver los murales de Víctor Ochoa. Él también es chicano, y las muchachas sienten admiración por su trabajo. Les gustó muchísimo el mural en honor a Gerónimo. Después, en el otoño, Ana María y Anita van a ir a Detroit para ver *Detroit Industry,* de Diego Rivera. Ese mural representa la industria del automóvil en esa ciudad. El año pasado, Pilar visitó Long Beach, California, para ver el mural de Ben Valenzuela en el George Washington Middle School.

El año pasado también las tres fueron a la Ciudad de México para estudiar el arte de los muralistas modernos como Diego Rivera. En México vieron las obras más importantes de Rivera en algunos edificios públicos. Les gustó mucho la idea de Rivera de crear arte a la vista del público.

Te toca a ti

Answer the following questions according to the reading above. Create question #5 and ask your partner to answer it.

1. ¿Dónde viven y qué estudian las tres chicas?

_____

_____

2. ¿Qué les gustó mucho en San Diego?

_____

_____

3. ¿Qué representa el mural *Detroit Industry*? ¿De quién es? ¿Dónde está?

_____

_____

4. ¿Qué murales hay en tu ciudad? ¿Quién los hizo?

_____

_____

5. _____

_____

¡A ESCRIBIR!

Imagine that you are on a panel of judges organizing a mural contest. Write a description of the three murals that won the contest. Include information such as topic, size, colors, and the prize to be awarded. You may want to use some of the words listed below:

Temas	Lugares	Regalos
la paz	la pared exterior	libros
los problemas sociales	la pared interior	dinero
los jóvenes	el edificio	una entrada para
las civilizaciones antiguas	más grande que	un concierto
los héroes famosos	menos largo que	discos compactos
la historia de tu país	dos metros	
las costumbres locales	la escuela	

1._____

_____

_____

_____

_____

2._____

_____

_____

_____

_____

_____

3._____

_____

_____

_____

_____

_____

GUÍA PARA ESTUDIAR: OTRAS FRONTERAS

¿Qué escritor de otro país es tu favorito? ¿Por qué?

LITERATURA _____

_____

_____

_____

SOÑANDO CON OTRO PAÍS _____

¿Te gusta buscar información en el Internet? ¿Por qué?

INFORMÁTICA _____

_____

_____

_____

LATINONET _____

¿Cuál es la ciudad más antigua de tu estado? ¿Te gustaría visitar esa ciudad? ¿Por qué?

HISTORIA _____

_____

_____

_____

SAN AGUSTÍN, FLORIDA _____

¿Te gustaría participar en una obra de teatro? ¿Por qué?

TEATRO _____

_____

_____

_____

CAFÉ CALIENTE _____

Tus notas

Las palabras: Write down three words or expressions from the reading that you would like to learn. Write three original sentences with them.

_____

_____

_____

Las oraciones: Were there any sentences that were difficult for you? Write them down in the space below.

_____

_____

_____

Now, share your notes with your partner.

UNIDAD 6, CAPÍTULO 11

CONVERSEMOS

Write a dialog about getting ready for a trip. Then, practice the dialog with your partner.

¿Te gustaría ir
de intercambio
al extranjero?

A.
Ask your partner if he/she would like to go on a foreign exchange program.

B.
Respond and give a reason. Ask the same question.

A.
Respond and give a reason. Ask whom he/she asks for travel information.

B.
Respond. Ask if he/she has a passport.

A.
Respond. Ask for advise.

B.
Respond and tell him/her how to behave in a foreign country.

¡A LEER!

A. Read the student-exchange guide on page 286 of your textbook. Then, answer the following questions in complete sentences.

1. ¿Cuál fue la capital del imperio inca? _____

2. ¿Qué puedes hacer en Cuzco? _____

_____

3. ¿Qué lugares puedes visitar en Valdivia? _____

_____

4. ¿Qué es Buenos Aires? _____

_____

5. ¿Qué deporte puedes aprender a jugar en Buenos Aires? _____

_____

B. Write sentences about things to do before going on an exchange program. Use the verbs in parentheses.

1. (llenar) _*Llenar la solicitud de intercambio.*_____

2. (sacar) _____

3. (presentar) _____

4. (hablar) _____

5. (llevar) _____

6. (hacer) _____

7. (cambiar) _____

Tu diario

Write down where you would like to go on an exchange program and why.

_____

_____

_____

TE TOCA A TI

1. Label as many things as you can.
2. Write a dialog in the empty balloons.
3. Write a dialog telling your friend what to take with him/her when going on an exchange program.

_____

_____

_____

_____

_____

_____

_____

_____

PALABRAS Y MÁS PALABRAS

A. Preparaciones para un viaje. Search the puzzle for two places you need to go before your trip, four kinds of paperwork you need, four things you plan to bring with you and two pieces of advice before you take the trip.

Notes

```
V U C O N S U L A D O N S T O
I D Á P S L T M E O B C A R S
S O M B T U B O N C O M L X D
A F A O G B R M T U R I T U P
B G R L A T L P N M A L E T A
I P A S A P O R T E N A M O S
Y E N O V L T H P N K S P U A
G U L D F W U S N T C D R T J
W N R E P V M U C O Q L A E E
B I L M M T H Y Q S L F N A I
H O X A E R S B Y Q L M O D S
T A E N D L H B P F U R B T Z
R Y E O I T I N E R A R I O F
A G E N C I A D E V I A J E S
C A M B I A D I N E R O F S T
```

Now, organize your words.

Places to go before:

_____

_____

Paperwork:

_____

_____

Things to bring:

_____

_____

Advice:

_____

_____

B. Complete these sentences with words from the puzzle.

1. Tengo que ir al _____ para sacar una visa.

2. Voy a llevar un _____ y una _____ de fotos.

3. Ya fui a la _____ para comprar el _____ en avión.

4. El agente de viajes me ayudó a hacer el _____.

5. Tengo que sacar una foto para el _____.

6. Mi amigo me da dos consejos: "_____ antes de viajar y

_____ para no llegar tarde al aeropuerto".

THE VERBS PEDIR AND DECIR

pedir (to ask for)
decir (to say, to tell)

yo	pido	**digo**
tú	pides	dices
usted	pide	dice
él/ella	pide	dice
nosotros(as)	pedimos	decimos
vosotros(as)	pedís	decís
ustedes	piden	dicen
ellos/ellas	piden	dicen

Para pensar y anotar

• Which form of *decir* is irregular?

_____

_____

• Which forms of *decir* and *pedir* don't have a stem–change?

_____

_____

A. Answer the questions based on this letter between Yadira and Raúl.

> *Querida Yadira,*
>
> *Te escribo desde Santiago de Chile. Estoy aquí en un programa de intercambio estudiantil. ¡Me encanta este país! Vivo en una casa muy bonita. Mis nuevos amigos son muy simpáticos. Quiero estudiar en una escuela de aquí, pero necesito el certificado de estudios de mi escuela. Por favor, llama al consejero de mi escuela y le pides el certificado. ¡Escribe pronto!*
>
> *Raúl*

1. ¿A quién le escribe una carta Raúl? *Raúl le escribe a Yadira.*

2. ¿Dónde está Raúl? _____

3. ¿Por qué está en Santiago de Chile? _____

4. ¿Qué dice Raúl de Chile? _____

5. ¿Qué dice Raúl de su casa? _____

6. ¿Qué dice Raúl de sus amigos? _____

7. ¿Qué quiere hacer en Chile? _____

8. ¿Qué pide? _____

B. On a separate piece of paper, write about what you and your family order at your favorite restaurant.

¿QUÉ VAS A PEDIR?

Each of these people are going on a trip to another country and have requested different things. Use the pictures to tell what they have requested.

1.

2.

3.

4.

5.

1. (Manolo)   *Manolo pide un folleto turístico de Chile.*

2. (mis amigos) _____

3. (tú) _____

4. (ustedes) _____

5. (Raul, Vilma y tú) _____

IRREGULAR <u>TÚ</u> COMMAND FORMS

Irregular tú command forms

decir	**di**	salir	**sal**
hacer	**haz**	ser	**sé**
ir	**ve**	tener	**ten**
poner	**pon**	venir	**ven**

Para pensar y anotar

- Which command form has an accent?

  _____

- How would you tell someone to come here?

  _____

A. **Alumno de intercambio.** John is going to Argentina as an exchange student. Everyone in his family is giving him advice. Complete these sentences with verbs from this list. You can use the same words more than once.

hacer	pedir	respetar	ser	venir
ir	poner	salir	tener	

Mamá: John, _____*ve*_____ al consulado y _____*haz*_____

los trámites.

Papá: _____ la visa pronto y _____

el pasaporte contigo.

Abuela: _____ la maleta y _____ tu nombre

y tu dirección en ella.

Lucía: _____ temprano para el aeropuerto.

_____ al aeropuerto con todos tus documentos.

Abuelo: _____ cortés con los argentinos y

_____ las costumbres del país.

_____ pronto con tus nuevos amigos.

B. Give advice to someone who is going on a trip.

_____

_____

¿QUÉ TIENE QUE HACER?

María is going on a trip. Use the pictures to write a list of instructions that María might be following.

1.

2.

3.

4.

5.

6.

1. _Ve al consulado de Estados Unidos y pide una visa._

2. _____

3. _____

4. _____

5. _____

6. _____

CHAPTER REVIEW

A. What advice would you give to a friend who was planning on going to Chile as an exchange student? Offer the advice you consider most important.

Antes de ir

hacer el certificado médico	llevar sólo una maleta	poner tu nombre en la maleta
hacer el itinerario	poner los cheques de viajero en el bolso de mano	sacar el pasaporte
hacer la reserva de avión		salir temprano para el aeropuerto
hacer los trámites	pedir información	

1. _Saca el pasaporte._ _____
2. _____
3. _____
4. _____
5. _____
6. _____

En Chile

aprender bien el español	conocer otra cultura	salir a mochilear
cambiar el dinero	estudiar mucho	ser cortés
conocer a otros jóvenes	respetar las costumbres	

7. _____
8. _____
9. _____
10. _____

Después de volver

aprender otro idioma	hablar de tus nuevos amigos	leer libros de Chile
cambiar el dinero		
escribir cartas a los amigos chilenos	hacer planes para otro viaje	

11. _____
12. _____
13. _____
14. _____
15. _____

B. Dicen que... Give your friend advice based on what different people have to say about going on a trip.

cambiar el dinero
comprar cheques de viajero
comprar una guía turística

hacer el itinerario
llenar la solicitud
pedir cartas de recomendación

pedir la visa
salir temprano
ser cortés

1. (los profesores)

Los profesores dicen que tienes que pedir cartas de recomendación.

2. (la agente de viajes)

_____

3. (el consejero)

_____

4. (tu madre y yo)

_____

5. (los representantes del programa)

_____

6. (la representante del banco)

_____

7. (yo)

_____

C. Todos te piden algo. Make the following requests using the correct form of *pedir*.

1. mis amigos y yo / tarjetas postales _Mis amigos y yo te pedimos unas tarjetas postales._

2. yo / discos compactos _____

3. mi amigo peruano / folletos turísticos_____

4. los profesores / libros en inglés _____

5. el agente de viajes / lista de hoteles _____

UNIDAD 6, CAPÍTULO 12
CONVERSEMOS

Write a dialog about your last vacation. Then, practice the dialog with your partner.

¿Adónde fuiste en tu último viaje?

A. Ask where your partner went on his/her last trip.

B. Respond. Ask the same question.

A. Respond and mention 2-3 places you visited. Ask what places he/she visited there.

B. Respond. Mention 2-3 places. Ask how he/she traveled.

A. Respond. Ask the same question.

B. Respond and mention 2-3 activities you did there. Ask what he/she did there.

A. Respond. Mention 2-3 activities you did on your vacation.

¡A LEER!

A. Read the diary on page 304 of your textbook. Then, answer the following questions.

1. ¿Dónde están Dan y sus amigos el jueves 25 de junio? *Están en el autobús*

   *que va a Cuzco.*_____

2. ¿Cuál es el lugar más impresionante del Perú? _____

   _____

3. ¿Cuál es el lago más grande de América del Sur? _____

4. ¿Cuántos metros tiene el cañón de Colca? _____

5. ¿Qué hay en el desierto de Nazca? _____

B. What words best describe each place listed below? You can use words from the box to help you:

alto	grande	impresionante	misterioso
antigua	increíble	larguísima	profundísimo

**EL LAGO
TITICACA**

**EL DESIERTO
DE NAZCA**

**LA CIUDAD
DE CUZCO**

_____

_____

**MACHU
PICCHU**

**EL CAÑÓN
DE COLCA**

**LA CORDILLERA
DE LOS ANDES**

_____

_____

Tu diario

Write down where you would like to go in Perú and why.

_____

_____

_____

TE TOCA A TI

1. Label as many things as you can.
2. Write your own dialog by filling in the empty balloons.
3. **Estás en Cuzco.** Write a postcard to your best friend. Tell him/her about the place you are visiting, what you are doing there, and what you would like to buy.

_____

_____

_____

_____

_____

PALABRAS Y MÁS PALABRAS

A. Fill in this crossword puzzle. Use the clues below to help you.

Across:

2. Carlos se pone un ___
cuando hace frío en las montañas.

3. El monte Everest mide más de 8.000 ___.

5. En las ruinas vimos dos esculturas de ___.

6. Mi abuela me hizo un suéter de ___.

8. Un viaje corto es una ___.

9. En el mercado de artesanía compramos
un ___ de muchos colores.

Down:

1. Un grupo de montañas
es una ___.

4. Un mar grandísimo es un ___.

7. El ___ turístico conoce todos
los monumentos de la ciudad.

B. Complete the following text with words from the crossword puzzle.

El verano pasado mi familia y yo viajamos a Perú. Volamos sobre la _____

de los Andes. La experiencia fue increíble. Primero fuimos a Lima. Está cerca del

_____ Pacífico. Después fuimos a Cuzco. Allí compramos unas mantas de

_____ y un _____ para la pared del comedor. Desde Cuzco hicimos una

_____ al lago Titicaca. El lago está a más de 3.856 _____ Nuestro

_____ turístico se llama Luis y nos habló muy bien de la historia de su país.

THE PRESENT PROGRESSIVE

present progressive			
Verb	**drop**	**add**	
contar	-ar	-ando	**cantando**
comer	-er	-iendo	**comiendo**
escribir	-ir	-iendo	**escribiendo**

Para pensar y anotar

- How do you form the present participle of **-ar** verbs?

  _____

- How do you form the present participle of **-er** and **-ir** verbs?

  _____

A. **¿Qué están haciendo?** Tell what this group of friends is doing now. Combine elements from the three columns.

Sergio y Cecilia	comprar	el paisaje
Pancho	escribir	en nuestro diario
yo	filmar	fotos de las ruinas
Maruja y yo	admirar	los boletos
tú	escalar	una película sobre Machu Picchu
ustedes	tomar	el viaje
Melania	ver	una montaña

1. _Sergio y Cecilia están comprando los boletos._____

2. _____

3. _____

4. _____

5. _____

6. _____

7. _____

B. Toño is very enthusiastic and likes to exaggerate. How would Toño respond to Gloria's questions?

Preguntas de Gloria	**Respuestas de Toño**
1. ¿Es el lago Michigan el más grande del mundo?	_No, pero es grandísimo._____
2. ¿Es el río Missisippi el más largo?	_____
3. ¿Es el pastel de chocolate el más rico?	_____
4. ¿Es este tapiz el más hermoso?	_____
5. ¿Es esta escultura la más pequeña?	_____

ESTAMOS HACIENDO MUCHAS COSAS

Write the captions for these photos.

1.

2.

3.

4.

5.

1. Paco y Carlos / remar / Amazonas

Paco y Carlos están remando en el Amazonas.

2. Laura y yo / admirar / Machu Picchu

_____

3. Guille / admirar / catedral

_____

4. Leticia / caminar / desierto

_____

5. tú / ver / Festival del Sol

_____

USES OF <u>SER</u> AND <u>ESTAR</u>

Para pensar y anotar

• When is *ser* used?

_____

_____

• When is *estar* used?

_____

_____

A. **Una fiesta.** The Ortiz family is having a party in honor of their relatives who are visiting the United States. Describe this event by completing the following paragraph with forms of *ser* or *estar*.

_____*Es*_____ lunes y los Ortiz _____ planeando una fiesta para sus tíos. La fiesta _____ el sábado a las ocho de la noche. La señora Ortiz _____ contenta porque sus tíos _____ con ella y su familia. Los tíos _____ de Perú, pero _____ de visita en Estados Unidos. Su tío _____ profesor de la Universidad de San Marcos en Lima y su tía _____ profesora de inglés. Ellos _____ emocionadísimos de estar aquí con su familia. El tío de la señora Ortiz _____ muy alto y su tía _____ muy baja. Ellos viven en Lima en una casa que _____ cerca del Pacífico. Los tíos les van a regalar a los Ortiz una escultura inca que _____ de piedra. Ellos también van a visitar a los abuelos que _____ en la Florida. Este año los tíos _____ viajando por todo Estados Unidos.

B. Describe these places and tell where they are located.

1. Cuzco: *Cuzco es una ciudad muy antigua y está en Perú.*

2. El Amazonas: _____

3. Los Andes: _____

¿SER O ESTAR?

Write sentences about the places in each illustration using either **ser** or **estar**.

1.

2.

3.

4.

5.

6.

1. _____

2. _____

3. _____

4. _____

5. _____

6. _____

CHAPTER REVIEW

A. Gregorio is narrating a video of his trip to South America. Write what Gregorio says using words from each column.

yo	admirar el paisaje	la selva tropical
mis padres	comprar recuerdos	una playa hermosísima
mi hermano	sacar fotos	un mercado del pueblo
mi hermana	filmar el viaje	la catedral
tú y yo	escalar una montaña	la cordillera altísima
tú	escribir un diario	las cataratas espectaculares
	nadar	un río larguísimo
	divertirse mucho	el centro de la ciudad

1. _Aquí estoy admirando el paisaje de la selva tropical._
2. _____
3. _____
4. _____
5. _____
6. _____
7. _____

B. Use the words from the list below to express your opinion about these things. Use the superlative when possible.

alto	espectacular	impresionante	moderno
antiguo	genial	increíble	popular
barato	grande	interesante	rápido
conocido	hermoso	largo	rico

1. el Titicaca _El Titicaca es el lago más grande de América del Sur._
   _____

2. el baloncesto _____
   _____

3. la pizza _____
   _____

4. Nueva York _____
   _____

5. Machu Picchu _____
   _____

6. el Gran Cañón _____

_____

7. el Himalaya _____

_____

8. la música clásica _____

_____

9. el rap _____

_____

10. la manzana _____

_____

C. Answer the following questions about trips that you have made in the past.

1. ¿Cuál es el lugar más interesante?

_____

_____

_____

2. ¿Cómo es ese lugar?

_____

_____

_____

3. ¿Compraste muchos recuerdos? ¿Cómo son tus recuerdos?

_____

_____

_____

4. ¿Dónde está el paisaje más impresionante? ¿Cómo es?

_____

_____

_____

5. ¿En qué viajaste? ¿Cómo prefieres viajar?

_____

_____

_____

UNIDAD 6, ADELANTE

GUÍA PARA ESTUDIAR: MISTERIOS DEL SUR

Read "Misterios del Sur" on pages 320–321 of your textbook. Then go back over each paragraph to answer the questions.

Paragraph 1
¿Por qué es Machu Picchu una ciudad increíble?_____
_____
_____

Paragraph 2
¿Por qué los incas construyeron Machu Picchu? _____
_____

Paragraph 3
¿Qué dicen las teorías sobre Machu Picchu?
_____

Paragraph 4
¿Dónde está la Isla de Pascua? _____

Paragraph 5
Según los expertos, ¿cuántos años tienen los moais? _____

Paragraph 6
¿Qué son las líneas de Nazca? ¿Cómo son? _____
_____

Paragraph 7
¿Qué dicen las teorías sobre las líneas de Nazca? _____
_____
_____

Tus notas

Las palabras: Write down two words or expressions from the reading that you would like to learn.

Las oraciones: Were there any sentences that were difficult for you? Write one of them down in the space below.

_____   _____
_____   _____

Now, share your notes with your partner.

LAS ESTATUAS DE SAN AGUSTÍN

En la parte oeste de Colombia, cerca de la ciudad de Cali, está el pueblo de San Agustín. Muchos turistas van cada año a San Agustín para ver unas estatuas misteriosas.

Las estatuas de San Agustín son muy similares a los maois de la Isla de Pascua. Son de piedra gris. Puedes ver muchas de estas estatuas gigantes en el campo cerca del pueblo. Es como un cementerio misterioso de un imperio que ya no existe.

Hay varias teorías sobre quiénes hicieron estas estatuas. Una teoría dice que hay una relación entre estas estatuas y los maois. Otra dice que los mayas hicieron las estatuas. Otra teoría dice que otra tribu precolombina diferente las hizo y cuando los europeos vinieron a Colombia, ya no existía la tribu. Pero la verdad es que nadie sabe la respuesta.

Te toca a ti

1. ¿Te gustaría vivir en los tiempos precolombinos? ¿Por qué?

_____

2. ¿Hay unas ruinas o edificios antiguos cerca de tu casa? ¿Cómo son?

_____

_____

3. ¿Te gustaría ser arqueólogo(a) y explorar ruinas como estas estatuas? ¿Por qué sí?

¿O por qué no? _____

_____

_____

4. ¿Adónde vas para buscar más información sobre los misterios del pasado?

_____

_____

5. ¿Cuál de estos lugares te gustaría más visitar: San Agustín, Nazca, la Isla de

Pascua o Machu Picchu? ¿Por qué? _____

_____

_____

6. ¿Te gustan las novelas o películas de misterio? ¿Por qué?

_____

_____

¡A ESCRIBIR!

You are writing a promotional brochure about Santo Limón, a small village in South America where the mysterious artifacts shown below were recently discovered. Create a story to explain the mysterious origins of the artifacts and include it in your brochure. Below are some words and expressions you may want to use.

ceremonia	espiritual	animales	expertos
habitantes	teoría	miden	figura
civilización	nativos	descubrir	estatua
significado	misterio	pie	pensar
ruinas	templo	celebrar	adorar a
montaña	impresionante	de piedra	respetar

¡VISITA SANTO LIMÓN!

_____

_____

_____

_____

_____

_____

_____

_____

GUÍA PARA ESTUDIAR: OTRAS FRONTERAS

¿Te gustaría aprender un idioma indígena? ¿Cuál? ¿Por qué?

IDIOMA _____

_____

_____

_____

_____

EL IDIOMA DE _____
LOS INCAS

¿Conoces otros sistemas para guardar información? ¿Cuáles son?

INFORMÁTICA_____

_____

_____

_____

_____

EL QUIPU

¿Cómo es el clima en tu cuidad? ¿Llueve mucho? ¿Hay mucha nieve? ¿Hace mucho sol? ¿Hay muchas nubes?

ECOLOGÍA _____

_____

_____

_____

_____

"COSECHA _____
DE NUBES"

¿Dónde hay cataratas en tu país? ¿Hay un lugar geográfico de interés en tu ciudad o estado?

GEOGRAFÍA _____

_____

_____

_____

_____

LAS CATARATAS _____
DEL IGUAZÚ

Tus notas

Las palabras: Write down three words or expressions from the reading that you would like to learn.

Las oraciones: Were there any sentences that were difficult for you? Write two of them down in the space below.

_____

_____

_____

_____

_____

_____

_____

_____

Now, share your notes with your partner.